DIEU

DU MÊME AUTEUR
CHEZ POCKET

PETIT TRAITÉ DE VIE INTÉRIEURE

DIEU
Entretiens avec Marie Drucker

FRÉDÉRIC LENOIR
entretiens avec
MARIE DRUCKER

DIEU

ROBERT LAFFONT

Pocket, une marque d'Univers Poche,
est un éditeur qui s'engage pour la préservation
de son environnement et qui utilise du papier fabriqué
à partir de bois provenant de forêts
gérées de manière responsable.

ISBN 978-2-266-22790-2

Avant-propos

par Marie Drucker

Je connais Frédéric Lenoir depuis plus de dix ans. Nous avons été réunis de nombreuses fois sur des plateaux de télévision lors d'émissions consacrées à de grands événements qui nécessitaient l'expertise et la vision d'un universitaire à la fois solide et pédagogue. Sa triple lecture des événements – historique, philosophique, sociologique – en a toujours fait un interlocuteur incontournable sur les questions religieuses. C'est un pragmatique, qui a sur toute chose un point de vue personnel, souvent iconoclaste, toujours accessible.

Le temps de l'écrit n'étant pas celui de l'image, nous avions depuis longtemps l'envie de prolonger nos conversations télévisuelles. Nous sommes l'un et l'autre, en tant qu'historien et journaliste, convaincus que nous ne pouvons pas comprendre notre société et ses croyances sans éclairer ses événements à la lumière de l'Histoire. Et l'histoire des hommes est indissociablement liée à celle de Dieu ou des dieux, question d'actualité perpétuelle.

Il ne s'agit nullement ici d'affirmer l'existence ou la non-existence de Dieu. Ce livre n'est pas un ouvrage militant, mais un ouvrage de réflexion.

Comment sont nés les premiers dieux et déesses de l'humanité ? Les juifs sont-ils les inventeurs du Dieu unique ? Pourquoi s'entretue-t-on au nom de Dieu ? La foi peut-elle exister sans le doute ? Y a-t-il d'autres sociétés athées que l'Occident moderne ? Pourquoi la figure de Dieu est-elle presque toujours masculine et les religions bien souvent misogynes ? Le Dieu des juifs, des chrétiens et des musulmans est-il le même ? La philosophie et la science peuvent-elles prouver l'existence ou la non-existence de Dieu ?

Que vous soyez croyant, agnostique, athée, ou simplement curieux, vous trouverez sinon des réponses à ces questions, du moins des pistes, des chemins pour mieux comprendre la fabuleuse histoire de Dieu et, nous l'espérons, celle de l'homme.

C'est pourquoi, pendant toute la rédaction de ce livre, nous avons eu à cœur de n'éluder aucun grand sujet et de nous adresser à tous. Car nous sommes tous, que nous le voulions ou non, le fruit de ces croyances ancestrales, ataviques et immémoriales.

1

Préhistoire et chamanisme

MARIE DRUCKER – Quand « Dieu » est-il apparu dans l'histoire de l'humanité ?

FRÉDÉRIC LENOIR – En fait, très tard. Si l'être humain existe depuis plusieurs millions d'années, l'archéologie montre que les premières représentations de divinités apparaissent il y a dix mille ans seulement. Ce sont d'ailleurs les déesses qui ont précédé les dieux ! Quant à la notion d'un Dieu unique, très répandue de nos jours à travers les monothéismes juif, chrétien et musulman, elle voit le jour en Égypte au XIVe siècle avant notre ère, sous le règne du pharaon Amenhotep IV, qui changea son nom en Akhénaton, en référence au culte solaire du Dieu unique, Aton. Mais le polythéisme – la croyance en plusieurs dieux – reprend le dessus dès après sa mort et il faut attendre le milieu du Ier millénaire avant notre ère pour que le monothéisme soit attesté avec certitude en Israël avec le culte de Yahvé et en Perse avec celui d'Ahura Mazda.

MD – La notion de Dieu, et même de dieux, apparaît tardivement. Les hommes de la préhistoire ne croyaient-ils donc en rien ?

FL – Il n'existe pas de traces archéologiques précises de la religion au cours de la préhistoire, du moins pour la période qui précède la révolution du Néolithique, il y a environ douze mille ans, lorsque nos ancêtres ont commencé à se sédentariser et à construire des villages, puis des cités. Cependant, quelques indices nous permettent d'imaginer une religiosité de l'homme préhistorique. Le premier, ce sont les rituels de la mort. À un moment donné, l'homme a commencé à ritualiser la mort, ce que ne fait aucun autre être vivant. Les tombes les plus anciennes ont été trouvées à Qafzeh, dans l'actuel Israël. Il y a environ cent mille ans, l'*Homo sapiens* antique y a soigneusement déposé des cadavres en position fœtale en les couvrant de couleur rouge. Sur un site voisin, des hommes et des femmes ont été enterrés avec des bois de cervidés ou des mâchoires de sanglier entre les mains et de l'ocre sur ou autour des ossements. Ces sépultures témoignent de l'existence d'une pensée symbolique, qui caractérise l'être humain. Ces couleurs ou ces objets sont les symboles d'une croyance. Mais laquelle ? Si nos ancêtres croyaient probablement en une survie possible de l'être après la mort, comme l'atteste la mise en position fœtale des corps ou la présence d'armes pouvant servir à chasser dans un au-delà, nous ne pouvons l'affirmer avec certitude. Je crois que ces rituels de la mort sont une première manifestation de religiosité, d'une possible croyance dans un monde invisible.

MD – Des statues préhistoriques montrant des femmes

au sexe et aux seins hypertrophiés représentent-elles les premières déesses-mères de l'humanité ?

FL – On a trouvé en Europe de nombreuses représentations de femmes aux attributs de la féminité et surtout de la maternité exaltés. Les plus anciennes apparaissent il y a environ vingt mille ans. Certains y voient en effet les premières déesses de l'humanité, voire le culte universel d'une grande Déesse-Mère. Cela me semble peu probable car aucun autre symbole n'y est associé. On peut à coup sûr y voir des archétypes de la féminité et sans doute la vénération de la femme comme porteuse et donneuse de vie, mais rien ne permet de penser que ce sont des êtres surnaturels qui sont représentés. Certains spécialistes de l'art préhistorique, comme le professeur LeRoy McDermott, pensent même que ces vénus sont des autoportraits de femmes enceintes, ce qui expliquerait à la fois leurs déformations caractéristiques et l'absence de traits des visages.

MD – Les peintures rupestres sont-elles le témoignage de croyances religieuses ?

FL – C'est un débat très ouvert chez les spécialistes de la préhistoire. Vous savez que la plupart de ces peintures représentent des animaux. Pour certains, il s'agit de gestes purement artistiques : ce serait la naissance de l'art pour l'art. Mais cette thèse se heurte à plusieurs objections, la principale étant le lieu même où la plupart de ces peintures ont été réalisées : des grottes sombres et d'accès très difficile. On voit mal pourquoi les artistes de la préhistoire se seraient cachés en de tels lieux pour réaliser leurs œuvres. La plupart des spécialistes penchent donc pour une autre hypothèse, celle de l'art magique : en peignant des scènes de chasse, l'homme capturait l'image des animaux avant de capturer les animaux eux-mêmes. Allant plus loin, certains spécialistes, comme Jean Clottes et David Lewis-Williams, ont développé l'hypothèse chamanique : selon eux, les peintures ne représentent pas les animaux eux-mêmes, mais l'esprit des animaux que les chamanes de la préhistoire invoquaient et avec lesquels ils communiquaient à travers des transes. Cela expliquerait parfaitement le choix de grottes difficilement accessibles, lieux favorables à l'isolement et à la transe chamanique. Cette hypothèse est en outre confirmée par deux données importantes. Tout d'abord, l'isolement de la plupart des sites d'art rupestre, éloignés des grottes habitées, et donc spécifiquement consacrés à cette activité ritualisée. Ensuite, selon les observations des ethnologues sur les dernières populations actuelles de chasseurs-cueilleurs, les chamanes réalisent des peintures sur des os, des bois ou des roches afin de communiquer avec des esprits invisibles, notamment ceux des animaux qui vont être chassés.

MD – Comment pouvez-vous sérieusement soutenir que les observations faites aujourd'hui sur certains peuples nous aident à connaître l'homme préhistorique ?

FL – C'est surprenant, mais pas du tout absurde si l'on sait que certaines tribus vivent encore comme nos lointains ancêtres. Elles tendent aujourd'hui à disparaître, mais de nombreux ethnologues ont pu les observer au XXe siècle, notamment en Amérique du Sud, en Australie, en Sibérie ou dans certaines régions d'Asie. Ces petits groupes nomades ou semi-sédentarisés ne pratiquent ni l'agriculture ni l'élevage et vivent de chasse et de cueillette. Ils témoignent de ce qu'était sans doute la religion de la préhistoire, parce qu'ils vivent selon le même mode de vie que l'homme préhistorique : dans la nature, avec pour quête principale la subsistance. Or, et cela est tout à fait passionnant, on constate à travers l'histoire longue que les croyances et les pratiques religieuses évoluent en fonction des changements des modes de vie de l'être humain. À l'instar de ces peuples vivant encore insérés dans le monde naturel, les hommes préhistoriques se sentaient totalement intégrés à la nature. La religiosité de ces peuples nous montre ce qu'a pu être la religion de la préhistoire : une religion de la nature, où l'on considère que le monde se compose de visible et d'invisible.

MD – C'est-à-dire que derrière les réalités matérielles se cacheraient des fluides ou des forces invisibles, les fameux esprits ?

FL – Exactement ! Chaque chose visible possède un double invisible avec lequel certains individus peuvent communiquer. À partir de l'observation des Toungouses de Sibérie, on a donné dès la fin du XVIIe siècle le nom de « chamane » (en langue toungouse, *saman* signifie « danser, bondir ») à ces personnes que la tribu choisissait pour intercéder en sa faveur auprès des esprits. Et on a qualifié de « chamanique » cette religion de la nature qui était vraisemblablement celle de l'homme du Paléolithique. Cette religion naturelle se fonde sur la croyance en un monde invisible qui entoure le monde visible et en la possibilité de communiquer avec les forces invisibles. Elle postule aussi la croyance en la survie d'une partie invisible de l'être humain qui se réincarne après la mort : l'âme. Elle se caractérise par des pratiques d'échange avec les esprits afin d'aider le groupe humain à survivre, de guérir les malades et de favoriser la chasse. Avant chaque chasse, le chamane procède à un rituel qui prend généralement la forme d'une danse au cours de laquelle il entre dans un état modifié de conscience, la transe, pour convoquer les esprits des animaux. Au cours de cette transe, il bondit aux sons de tambours, d'où l'étymologie du terme « chamane » que nous venons d'évoquer. Il leur propose un échange : « Nous allons devoir vous tuer pour manger, mais quand nous mourrons, nous donnerons à notre tour notre fluide vital à la nature. » Les chamanes sont aussi des thérapeutes convaincus que la maladie est le symptôme d'une âme mal placée ou envahie par une autre entité.

MD – Je sais que le mot n'existe pas encore, mais est-on sur la voie de la spiritualité ? Si le mot n'existe pas, peut-être l'idée existe-t-elle ?

FL – Je définirais plutôt la spiritualité à partir de la dimension de quête individuelle. On ne peut pas dire qu'à l'époque, les individus aient une quête spirituelle personnelle, en tout cas pas en termes d'élaboration intellectuelle. La spiritualité comme tentative de réponse à l'énigme de l'existence – « quel est le sens de ma vie ? » – n'existe sans doute pas à ce moment-là. Nous sommes encore dans une religiosité collective. Tous partagent les mêmes croyances, les mêmes peurs et utilisent les mêmes moyens pour les exorciser.

MD – Ils auraient donc le sens du sacré ?

FL – Oui, le mot « sacré » est plus approprié. Et je dirais plus précisément qu'ils éprouvent le sacré. Le sacré est plus universel et plus archaïque que la quête spirituelle. Le théologien et philosophe allemand du début du XXe siècle Rudolf Otto le définit comme une sorte d'effroi et d'émerveillement devant le monde. Les hommes éprouvent à la fois une très grande peur parce que le monde qui les entoure est immense et les dépasse totalement et, en même temps, ils sont en admiration devant sa beauté. C'est une expérience que l'on peut parfaitement faire aujourd'hui. On est terrorisé par les débordements de la nature – les cyclones, les tremblements de terre, les tsunamis –, mais on est bouleversé face à l'océan, dans le désert, devant de beaux paysages... Éprouver l'immensité du cosmos et en être ému est une expérience du sacré.

MD – Quelle est la différence entre sacré et religieux ?

FL – Le sacré ainsi défini est un ressenti, une expérience spontanée, à la fois individuelle et collective, de notre présence au monde. La religion est une élaboration sociale qui vient dans un second temps. On pourrait dire qu'elle ritualise et codifie le sacré. Les religions sont là pour domestiquer le sacré, le rendre intelligible, l'organiser. De la sorte, elles créent du lien social, elles relient les hommes entre eux. D'ailleurs, le mot latin *religio*, qui a donné naissance à « religion », a deux étymologies. Selon Cicéron, il vient du mot *relegere*, « relire », qui peut renvoyer à la dimension rationnelle et organisatrice de la religion ou bien à sa dimension de transmission d'une connaissance traditionnelle. Mais pour Lactance, le mot *religio* vient de *religare*, « relier ». De manière verticale, les individus sont reliés à une transcendance, à quelque chose qui les dépasse, à une source invisible du sacré. De manière horizontale, cette expérience et cette croyance communes relient les individus entre eux, créant un lien social dans la communauté. Le fondement du lien social le plus puissant d'une société, c'est effectivement la religion. L'écrivain et médiologue Régis Debray a très bien analysé la fonction politique de la religion et montré que toute société a besoin de réunir des individus autour d'un invisible qui les transcende.

MD – Pourtant ce n'est absolument plus valable aujourd'hui.

FL – Plus en Europe, c'est vrai, mais il s'agit d'une exception. La croyance en Dieu est partagée par 93 % des Américains, quelles que soient les confessions religieuses, et la cohésion sociale est très forte aux États-Unis ; Dieu y est omniprésent, y compris dans les rituels de la vie civile. La religion est tout aussi présente et source de cohésion sociale sur les autres continents, dans les pays chrétiens, musulmans, bouddhistes, mais aussi en Inde, et même curieusement en Chine autour de traditions confucéennes et du culte des ancêtres, qui n'ont jamais disparu malgré le communisme. Il n'y a quasiment qu'en Europe que la religion ne fonde plus le lien collectif. D'où cette question permanente des sociétés européennes : comment créer du lien social ? C'est la première fois dans l'histoire qu'une civilisation essaie de créer du lien social en dehors de la religion.

MD – Alors on s'est créé des religions de substitution...

FL – Oui. À la crise des croyances religieuses aux XVIIIe et XIXe siècles ont succédé ce qu'on appelle des « religions civiles », c'est-à-dire des croyances collectives, partagées par tous, autour de quelque chose qui nous transcende et qui nous dépasse : le nationalisme, par exemple. Au cours des XIXe et XXe siècles, en Europe, on pouvait donner sa vie pour la Patrie, c'était le lieu du sacré. Aujourd'hui, il n'y a plus de sacré.

MD – En somme, hormis quelques tribus de chasseurs-cueilleurs, il ne reste plus rien aujourd'hui de la religion naturelle des hommes préhistoriques ?

FL – En fait, la religion naturelle s'est bien souvent mêlée aux religions ultérieures. Elle reste extrêmement vivace en Afrique, en Asie, en Océanie et en Amérique du Sud, y compris chez des chrétiens, des musulmans ou des bouddhistes. Elle a par exemple profondément imprégné le bouddhisme tibétain : l'oracle que consulte régulièrement le dalaï-lama entre en transe exactement selon les rituels chamaniques traditionnels. Il n'y a qu'en Europe et aux États-Unis (malgré quelques pauvres résidus chez des tribus indiennes parquées dans des réserves) qu'elle a presque totalement été éradiquée par la christianisation. Mais on assiste en Occident depuis une vingtaine d'années à un fort regain d'intérêt pour le chamanisme. Cependant, mieux vaudrait parler de « néo-chamanisme », car ceux qui vont vivre des expériences en Mongolie ou au Pérou auprès de chamanes traditionnels ne sont plus insérés dans la nature. Une nature qu'ils idéalisent et réenchantent de manière imaginative en réaction à un mode de vie urbain et à une religion chrétienne trop cérébrale qui ont coupé l'homme de son rapport au monde naturel.

2

Naissance des déesses... et des dieux

MARIE DRUCKER – La religiosité naturelle des hommes de la préhistoire n'avait pas encore inventé les dieux. Quel contexte historique et social fut propice à leur création ? Et j'irai plus loin : quels hommes ont donc donné naissance aux dieux ?

FRÉDÉRIC LENOIR – La charnière se situe lors du passage du Paléolithique au Néolithique, il y a environ douze mille ans, au Proche-Orient. Le mode de vie des hommes change alors, ils se sédentarisent pour assurer une meilleure maîtrise de leurs besoins alimentaires. L'agriculture et l'élevage remplacent la chasse et la cueillette. Ce contrôle de plus en plus important des moyens de subsistance amène les hommes à se regrouper dans des villages, qui vont devenir des cités. C'est avec la naissance des cités que la religion va changer en profondeur.

MD – À quoi ressemble le monde à ce moment-là ?

FL – Les conditions climatiques sont idéales. La Terre commence à sortir d'une période glaciaire entamée cent mille ans plus tôt et les effets du réchauffement se font d'abord sentir dans cette zone géographique située de l'Égypte actuelle à l'Irak. C'est un lieu fertile. L'homme quitte les grottes et commence à bâtir en plein air des maisons en terre, en bois, en pierre. Pour se protéger, il se rassemble et crée des villages de plus en plus gros entourés de clôtures. Progressivement, il devient éleveur et agriculteur. Il fait paître des petits troupeaux à côté du village, il cultive les céréales, apprend à les moudre et à les stocker. L'être humain est alors de moins en moins dépendant de la nature. Il contrôle ses moyens de subsistance. On assiste ainsi à une révolution considérable dans l'histoire de l'humanité : pour la première fois, l'homme n'est plus totalement inséré dans l'ordre naturel. Dès lors, sa relation symbolique au monde se modifie aussi : il ne négocie plus avec les esprits de la nature et des animaux. La figure du chamane tend à disparaître dans les petites cités qui émergent un peu partout au Proche-Orient dès le IXe millénaire avant notre ère. Néanmoins, l'homme a toujours besoin de croire en des forces supérieures qui vont le protéger des caprices de la nature ou des autres groupes humains menaçants. C'est alors qu'il va convertir les esprits du tonnerre, de l'eau, de la pluie en entités divines qui lui ressemblent, selon un processus d'anthropomorphisation. Sur plusieurs milliers d'années, l'homme va créer des entités supérieures à son image, des divinités sexuées, masculines et féminines : les dieux et les déesses qu'il établit dans le ciel. Le lien ne va plus s'édifier dans l'espace horizontal de la nature, mais entre la terre, la cité, demeure des hommes, et le ciel, désormais demeure des dieux. D'ailleurs, le mot « divinité » vient de la langue indo-européenne et signifie étymologiquement « lumière », « ce qui brille »... comme une étoile dans le ciel.

MD – Les divinités masculines étaient-elles supérieures aux divinités féminines, ou bien y avait-il alors une certaine égalité des sexes dans ce nouveau monde céleste ?

FL – Si l'on considère les premières représentations de divinités, il n'y avait pas du tout d'égalité entre les sexes... puisqu'il n'existait que des déesses ! Vers 7000 avant notre ère apparaissent en Anatolie des autels domestiques et des bas-reliefs à caractère explicitement religieux montrant des femmes donnant naissance à des taureaux. Cette figure de la femme et du taureau va se répandre dans tout le bassin méditerranéen, mais aussi en Inde. Elle sera l'objet d'un culte que les historiens appelleront le « culte de la Grande Déesse ou de la Déesse-Mère », celle qui donne la vie et qui veille sur la fécondité de la nature, représentée par le taureau. Certains voient aussi dans la figure du taureau la force masculine. C'est très possible, mais ce qui est intéressant, c'est que le taureau est toujours soumis à la femme puisqu'il est toujours représenté dans des positions où il lui est inférieur, soit parce qu'il est montré de manière partielle (crâne, cornes), soit parce qu'il lui sert d'assise ou se tient à ses pieds.

Le chasseur nomade du Paléolithique vénérait les esprits des animaux qui étaient nécessaires à sa survie. L'agriculteur éleveur sédentaire du Néolithique vénère le symbole de la fécondité et de la fertilité : la femme. Mais cela ne va pas durer bien longtemps, car les dieux masculins vont bientôt supplanter le culte de la Déesse-Mère.

MD – Pour quelles raisons le panthéon s'est-il ainsi masculinisé ?

FL – Avec la sédentarisation, un nouveau clergé va naître : au chamane va succéder le prêtre. Contrairement à son prédécesseur, le prêtre ne ressent plus le sacré, il ne l'éprouve plus dans son corps, il le réalise à travers le rituel sacrificiel censé maintenir l'ordre du monde et attirer la faveur des dieux et des déesses. Tandis que les chamanes étaient indifféremment des hommes ou des femmes, la caste sacerdotale devient assez vite presque exclusivement masculine. Au sein des cités naissantes, l'homme aime organiser, gérer, diriger. Et de même qu'il s'attribue les fonctions administratives du royaume, il s'attribue aussi les fonctions sacerdotales. L'évolution de la religion suit donc celle des sociétés qui deviennent un peu partout patriarcales entre le IIIe et le IIe millénaire avant notre ère, lorsque les cités s'étendent et deviennent de grandes villes, des royaumes et bientôt des empires. Et dès le moment où les sociétés deviennent patriarcales, où l'homme domine, où les prêtres sont très majoritairement des hommes, le ciel aussi va se masculiniser. Alors qu'au départ elles étaient dominantes, les déesses sont désormais secondaires, comme en Mésopotamie. Je suis convaincu que beaucoup de dysfonctionnements de nos sociétés sont directement liés au déséquilibre entre le féminin et le masculin dans l'humanité. Le masculin a trop longtemps écrasé le féminin et les religions issues du modèle patriarcal ont joué un rôle essentiel dans la transmission de ce déséquilibre. Il est temps que ça change !

MD – Les religions ne sont pas seulement devenues masculines, elles sont devenues misogynes !

FL – Je pense que l'une des raisons du succès du film *Avatar*, c'est d'avoir montré un monde, Pandora, où le féminin tient une place importante. D'ailleurs son réalisateur, James Cameron, s'est très bien documenté sur les sociétés chamaniques qui vivent en symbiose avec la nature. Son film dit que ce qui conduit les humains à leur perte et à la destruction des autres est la convoitise, le désir de posséder, de dominer..., comportements typiquement masculins. Alors que Pandora offre un autre modèle de société fondé sur l'harmonie, l'échange, le respect de la vie, valeurs plus féminines. Je crois que le succès du film vient de ce qu'il nous fait entrevoir ce qu'aurait pu être l'humanité sans la soif de domination. C'est une métaphore de l'occidentalisation du monde par la force issue de la technologie et un conte philosophique sur la beauté d'un autre monde qui n'a pas encore été détruit par la convoitise de l'être humain.

MD – Du féminin au masculin, du chamane au prêtre, de la transe au sacrifice : les croyances et les peurs se sont beaucoup transformées avec les modes de vie des hommes.

FL – C'est ce que montre l'histoire des religions. Les dangers liés à la nature ne sont plus les mêmes : les tribus n'ont plus peur de ne pas trouver de gibier ou de se faire dévorer par un ours ; elles ont peur qu'il ne pleuve pas assez pour l'agriculture ou que les cultures soient dévastées par un orage trop violent, peur des tribus adverses susceptibles de les attaquer. Ces peuples-là ressentent donc le besoin d'une présence de forces supérieures qui protègent le village ou la cité. Au rituel de la transe chamanique va succéder un nouveau rituel, celui du sacrifice. À la figure du chamane, possédé par les esprits de la nature lors de ses transes, succède celle du prêtre, qui réalise le sacrifice et devient une sorte d'administrateur du sacré. Tandis que le chamane *éprouvait* le sacré, le prêtre le *fait*. L'étymologie du mot « sacrifice » signifie précisément « faire le sacré ». Le prêtre n'est plus possédé par une force supérieure, il pose un geste rationnel – le rituel du sacrifice – censé garantir l'ordre du monde et protéger le groupe.

MD – Et c'est ainsi que l'on commence à tuer au nom de Dieu...

FL – Pas encore de Dieu, mais des dieux ! Au départ l'homme, par l'intermédiaire des prêtres, offre aux dieux et aux déesses des céréales ou de petits animaux, c'est-à-dire ce qui est nécessaire à sa subsistance. Pour comprendre la logique du sacrifice, il faut lire un ouvrage capital du père de l'ethnologie française, Marcel Mauss. Dans son *Essai sur le don* (1923-1924), Mauss montre que l'échange est au fondement même des premières sociétés humaines. Il produit l'abondance des richesses car il invite le receveur à être généreux à son tour envers le donneur. Or Mauss montre que ce qui peut être observé au sein des tribus existe aussi au niveau symbolique avec les forces supérieures : plus on donne aux esprits et ensuite aux dieux, plus ils sont censés nous rendre de bienfaits. C'est donc avec les forces invisibles qui gouvernent le monde et qui apportent la subsistance au groupe qu'il apparaît le plus nécessaire d'échanger. Toute la logique religieuse la plus archaïque de l'humanité est contenue dans cette logique du don mutuel : je donne quelque chose qui m'est précieux aux forces supérieures et en échange celles-ci m'apportent subsistance et protection. C'est ce qu'exprime le rituel sacrificiel auquel se livrent les prêtres à partir du Néolithique : ils offrent des cadeaux aux dieux en échange de leur aide.

MD – Puis on observe au fil des millénaires une surenchère sacrificielle délirante. Comment des hommes en sont-ils venus à sacrifier leurs enfants ?

FL – Une tablette trouvée dans la ville d'Uruk en Mésopotamie datant du IIIe millénaire avant notre ère comptabilise une année de sacrifices au grand temple du dieu Anu : dix-huit mille moutons, deux mille cinq cent quatre-vingts agneaux, sept cent vingt bœufs et trois cent vingt veaux. Tout ça pour une ville dont la population ne devait pas excéder quarante mille habitants ! Dans cette escalade, on en vint ensuite en effet à sacrifier aux dieux des êtres humains. Il s'agissait à l'origine de captifs d'autres tribus, puis on en arriva à sacrifier ses propres enfants pour aller toujours plus loin dans la logique du don le plus précieux. Les sacrifices humains étaient assez répandus dans diverses aires géographiques au cours du Ier millénaire avant notre ère et on en retrouve une trace dans la Bible à travers la geste d'Abraham qui a été écrite à cette période. Abraham reçoit de Dieu l'ordre de lui sacrifier son fils Isaac, mais au dernier moment, un ange lui intime l'ordre de renoncer à ce sacrifice et lui fournit un bouc en remplacement d'Isaac. On peut lire dans cet épisode à la symbolique très riche la critique des sacrifices humains tels qu'ils étaient encore pratiqués à l'époque. La Bible enjoint d'y renoncer, sans pour autant bannir les sacrifices sanglants d'animaux, puisque ceux-ci perdureront jusqu'à la destruction du Temple de Jérusalem, en 70 de notre ère, et seront repris ensuite dans la tradition musulmane.

MD – Est-ce de là que vient l'expression « bouc émissaire », qui désigne celui qui est sacrifié de manière injuste pour préserver la cohésion d'un groupe ?

FL – Bien vu... mais pas tout à fait ! L'expression est issue d'une tradition ancienne du peuple juif : une fois par an, le grand prêtre posait ses mains sur la tête d'un bouc pour lui transmettre tous les péchés commis par le peuple, puis l'envoyait dans le désert pour y perdre les péchés (Lévitique, 16, 21-22). L'expression « bouc émissaire » est la traduction latine de la version grecque de ce texte de la Bible, que l'on pourrait plus littéralement traduire à partir de l'hébreu par « bouc en partance ». Les anthropologues et les sociologues du début du XXe siècle, tel James George Frazer, ont ensuite montré que le phénomène dit « du bouc émissaire » est un comportement observé dans de nombreuses sociétés, où le groupe choisit une personne ou une communauté minoritaire sur laquelle rejeter le mal ou la culpabilité issus d'un mal collectif. Ainsi les juifs ou les sorcières ont souvent servi de boucs émissaires au sein des sociétés chrétiennes : on les persécutait lorsqu'il y avait une calamité naturelle ou qu'un crime atroce avait été commis. Ils étaient considérés soit comme les auteurs de la faute, soit, par leur seule présence, comme les responsables des malheurs de la population. L'un des penseurs qui a le plus popularisé cette expression est René Girard. Dans ses travaux sur la violence inhérente aux sociétés humaines, il a montré que celle-ci provient du désir mimétique : on veut posséder ce que l'autre possède. Le phénomène du bouc émissaire est en quelque sorte la réponse inconsciente du groupe pour exorciser sa propre violence liée au désir mimétique :

on désigne et on sacrifie collectivement un coupable afin d'exclure du groupe la violence interne récurrente, qu'on détourne ainsi provisoirement en la projetant sur une victime destinée à être sacrifiée dans une sorte de rituel collectif exutoire. De nos jours, en France, même si « le juif » fait encore figure de bouc émissaire pour certains, ce sont plutôt les étrangers, les Roms, les Arabes, les musulmans qui ont tendance à être désignés par l'extrême droite et une partie de la droite comme boucs émissaires de nos propres maux. Donc, vous voyez, même si les conséquences sont moins dramatiques que par le passé, le mécanisme du bouc émissaire est toujours à l'œuvre dans nos démocraties laïques.

MD – Mais la théorie de René Girard a fait l'objet de vives polémiques au sein du monde universitaire...

FL – Plus que sa théorie de la violence liée au désir mimétique et du phénomène de la victime émissaire – qui rejoint les observations de nombreux ethnologues et sociologues –, c'est la systématisation de sa théorie par l'auteur lui-même qui a suscité des controverses. Systématisation à tous les groupes humains d'abord, or il existe des sociétés où la théorie n'est pas probante. Systématisation comme explication globale du phénomène religieux ensuite : dans son ouvrage majeur, *La Violence et le Sacré* (1972), René Girard affirme que la fonction fondamentale de la religion est de maintenir la violence hors de la communauté *via* la perpétuation du mécanisme de la victime émissaire. Or non seulement ce n'est pas applicable à toutes les religions (que l'on songe aux sociétés bouddhistes ou confucéennes, par exemple, que René Girard n'a pas étudiées), mais je suis aussi convaincu que le phénomène religieux ne peut être réduit à sa seule fonction de gestion de la violence. Nous parlions plus haut de la mort et de l'expérience du sacré. Elles me semblent des explications tout à fait décisives de la naissance et de la perpétuation du phénomène religieux.

MD – C'est alors que les êtres humains ont commencé à vénérer les âmes de ceux qui les avaient précédés. Le culte des ancêtres est-il aussi une conséquence de la sédentarisation ?

FL – Absolument. On a trouvé en Anatolie et près de Jéricho de nombreux crânes peints et parés de coquillages, datant d'environ sept mille ans avant notre ère, qui faisaient l'objet d'un culte domestique. Ces crânes expriment de manière saisissante la présence de l'absent. Ils devaient être considérés comme le support de l'esprit du défunt que l'on vénérait et auquel on demandait certainement aussi assistance. Cela correspond à un basculement très important des mentalités lié au changement de mode de vie. Tandis que pour les petites tribus nomades de chasseurs les vieux étaient un poids, avec la sédentarisation l'ancien n'est plus une charge pour le groupe, il devient un sage, celui qui sait. À sa mort, on lui donne un statut quasi divin, celui d'ancêtre. On s'aperçoit toutefois que lorsque les cités grandissent et deviennent des royaumes, comme en Mésopotamie ou en Égypte, le culte des ancêtres tend à disparaître au profit du seul culte des dieux. En revanche, il subsiste dans de nombreuses contrées d'Asie, d'Océanie ou d'Afrique, où le système de petites tribus sédentaires perdure. La seule grande civilisation où il n'a jamais disparu et où il reste très vivace, c'est la Chine.

3

Les juifs ont-ils inventé le monothéisme ?

MARIE DRUCKER – Nous sommes donc passés des esprits de la nature à la Grande Déesse, puis aux dieux mâles. Mais comment sommes-nous passés des dieux innombrables au Dieu unique ?

FRÉDÉRIC LENOIR – Entre le polythéisme et le monothéisme il y a une étape intermédiaire : l'hénothéisme. C'est la hiérarchisation des dieux, rendue nécessaire par les grandes conquêtes. Tant que les cités sont autonomes, elles ont chacune leur panthéon, chaque dieu répondant à des fonctions précises : déesse de la fécondité, dieu de la guerre, dieu de l'eau, dieu du tonnerre, etc. Puis, grâce aux conquêtes, les cités vont grossir et devenir des royaumes et des empires. Cela commence vers 3000 avant notre ère en Mésopotamie, en Chine, en Égypte, et se poursuit au cours du Ier millénaire avant notre ère avec les Perses, les Parthes, les Grecs, les Romains. Chaque fois qu'un royaume fait une nouvelle conquête, il intègre à ses propres dieux ceux du royaume conquis et impose les siens. Progressivement, le panthéon devient pléthorique et les empires sont confrontés au foisonnement des dieux. Advient alors la question de leur hiérarchie : y a-t-il un dieu supérieur aux autres ?

Cette question se pose avec d'autant plus d'acuité que les royaumes terrestres, pour maintenir leur unité, ont besoin d'un chef unique : le roi ou l'empereur. On imagine alors qu'il doit y avoir aussi au ciel un dieu qui gouverne tous les autres. Et la mise en relation étroite voire la filiation du souverain avec cette divinité suprême lui donne encore plus de force et de légitimité. C'est le cas du pharaon en Égypte ou de l'empereur de Chine, qui est le « fils du ciel ». Plus tard, les Romains reprendront à leur tour ce caractère divin de l'empereur. Il y a donc collusion entre la tête du pouvoir terrestre et celle du pouvoir céleste. La religion vit grâce au politique et le politique tire sa légitimité de la religion : « Du ciel la royauté est descendue sur moi », fait graver sur une tablette le roi d'Ur au début du IIe millénaire avant notre ère. Il est donc nécessaire de distinguer un dieu suprême auquel le souverain est étroitement associé, et à qui tout le peuple doit rendre un culte. Ce sera le dieu Anu (ou An) en Mésopotamie, Amon en Égypte, Zeus en Grèce, Baal en Phénicie, etc. Mais il y a aussi des divinités locales, liées à l'histoire ou à la manière de vivre de chaque cité. Ainsi s'établit progressivement, à mesure du développement des cités-États qui possèdent une écriture (apparue vers 3000 avant notre ère) et une administration centrale, une hiérarchisation des dieux avec au sommet une divinité nationale. On ne peut pas encore parler de monothéisme, puisque cette divinité suprême tolère l'existence d'autres qui lui sont soumises. On a inventé les termes de « monolâtrie » et d'« hénothéisme » pour qualifier ce moment capital de l'histoire des religions où de nombreuses civilisations sont passées d'un polythéisme désordonné à un polythéisme organisé et hiérarchisé, prélude au monothéisme.

MD – Le culte de la Déesse-Mère, c'était déjà un monothéisme !

FL – Certains auteurs affirment en effet que le culte de la Déesse-Mère, qui a dominé tout le monde méditerranéen, européen et indien pendant plusieurs millénaires avant le développement des grandes civilisations antiques, était l'expression d'une croyance monothéiste. Cependant, l'absence de traces écrites rend difficile la connaissance de ce culte et il semble qu'il n'ait pas été exclusif, mais ait cohabité avec d'autres cultes, comme celui des ancêtres et des esprits naturels, avant d'être vaincu par le polythéisme plus codifié des cités-États.

D'autres auteurs, plus anciens, ont avancé l'idée d'une croyance monothéiste universellement répandue avant l'invention du polythéisme, au Néolithique. Dès la fin du XIXe siècle, plusieurs missionnaires chrétiens remarquent qu'il existe dans de nombreuses religions dites « primitives », en Asie, en Amérique ou en Afrique, la trace d'une croyance en un dieu unique cachée derrière le culte foisonnant des ancêtres et des esprits. C'est le Grand Esprit des Indiens d'Amérique du Nord ou la divinité lointaine, rarement nommée, de nombreuses ethnies africaines. Selon le linguiste et missionnaire catholique Wilhelm Schmidt qui a développé cette thèse dans *L'Origine de l'idée de Dieu* (1912), les hommes de la préhistoire auraient tous adoré un Dieu unique avant que celui-ci, devenu trop lointain et abstrait, ne s'efface devant le culte plus accessible des esprits et des ancêtres, puis des dieux et des déesses, et resurgisse sous forme de révélation dans le judaïsme antique. Même si cette thèse rejoint certains mythes antiques – comme celui de l'éloignement du grand dieu mésopotamien Anu, qui à force de s'entourer d'une cour nombreuse de divinités inférieures a fini par être oublié des humains –, elle repose sur des indices trop faibles et semble trop inspirée par la propre croyance religieuse de ses partisans pour pouvoir faire autorité. Restons donc très prudents, et mieux vaut en l'état actuel de nos connaissances faire remonter le monothéisme au XIVe siècle avant notre ère à la brève expérience du pharaon Amenhotep IV, devenu Akhénaton. Cette révolution brutale ne dura que l'espace de son règne ; sitôt ce monarque décédé, son fils, Toutankhamon, sous la pression du puissant clergé du dieu Amon, revint à l'hénothéisme et l'expérience monothéiste de son père ne laissa aucune trace en Égypte.

MD – Est-ce elle qui a influencé Moïse ?

FL – L'historien ne peut rien dire de certain sur Moïse, car seule la Bible, le Livre saint des juifs, en parle. Or la Bible est une bibliothèque hétéroclite, un mélange de mythes, de récits historiques plus ou moins avérés, de poèmes, de prières, de textes de sagesse, de textes prophétiques. La critique historique moderne a permis d'établir que la Bible a commencé à être écrite vers le VIIe siècle avant notre ère, à partir de traditions orales. Cela rend problématique la validité de personnages et d'événements historiques qui seraient survenus selon les chronologies bibliques six siècles (histoire de Moïse) ou même douze siècles (histoire d'Abraham) plus tôt. Ce qui n'enlève rien à la force spirituelle et symbolique de ces récits, mais les prendre au pied de la lettre est impossible d'un point de vue historique et rationnel. Ces personnages ont peut-être existé, mais quand ? Et que sait-on vraiment de leur vie ?

L'archéologie peut attester avec certitude l'existence d'un royaume d'Israël grâce à une stèle du pharaon Méneptah, vers 1200 avant notre ère, sur laquelle il est gravé : « Israël est anéanti et n'a plus de semence. » Puis une stèle araméenne du IXe siècle avant notre ère mentionne la « maison de David », attestant ainsi la royauté davidique, ce qui correspond aux fouilles archéologiques menées à Jérusalem et datant la fondation de la cité de David aux alentours du Xe siècle. Mais il s'agissait alors davantage d'une petite bourgade que d'une cité resplendissante et nulle trace du fameux et gigantesque Temple que Salomon, le fils du roi David, aurait édifié à la gloire de Yahvé. Selon les archéologues, il aurait probablement été de petite dimension et reconstruit plusieurs fois au fil des siècles.

Ce qui est certain historiquement, c'est qu'il existe à la fin du IIe millénaire avant notre ère un petit royaume d'Israël dont le roi David fondera la capitale à Jérusalem au tournant du Ier millénaire et que ce royaume se scindera rapidement en deux : le royaume d'Israël au nord et celui de Juda au sud, autour de Jérusalem. En 721 avant notre ère, le roi Sargon d'Assyrie conquiert le royaume du nord. Puis en 587, le roi de Babylone, Nabuchodonosor, conquiert le royaume de Juda, rase le Temple de Jérusalem et déporte les élites religieuses et intellectuelles juives dans sa capitale. Elles y restent en exil pendant une cinquantaine d'années, jusqu'à ce que le roi Cyrus le Grand, fondateur de l'Empire perse, prenne Babylone et permette aux juifs de rentrer à Jérusalem où ils reconstruisent le Temple.

MD – Cet exil est absolument déterminant dans l'histoire du peuple juif.

FL – Oui, car il l'amène à s'interroger en profondeur sur son identité et sur la menace qui pèse sur son existence. C'est alors que les scribes poursuivent et achèvent l'écriture de la Bible commencée peu avant l'exil, et notamment les cinq premiers livres qui composent la Loi ou Torah : la Genèse, l'Exode, les Nombres, le Deutéronome et le Lévitique. Ces livres racontent la naissance du monde et l'histoire ancienne du peuple juif. On parle alors des « Hébreux » car le mot « Juif » est un dérivé tardif du mot « Judéen », les habitants de la Judée, descendants des Hébreux. Ils racontent l'histoire des patriarches Adam, Noé, puis Abraham, l'ancêtre des Hébreux, et ses descendants, Isaac et Jacob – ce dernier prendra le nom d'Israël et ses douze fils deviendront les fondateurs des douze tribus d'Israël. L'histoire enfin de la déportation du peuple hébreu en Égypte et de sa libération par Moïse qui leur donnera la Loi divine (les fameux Dix Commandements). La Torah décrit aussi tous les rituels qui doivent être pratiqués et toutes les règles auxquelles les juifs doivent obéir. Elle insiste sur le caractère strictement monothéiste de la foi juive, mais porte la trace des croyances polythéistes ou hénothéistes d'Abraham. Celles-ci subsistent au sein du peuple d'Israël non seulement du temps de Moïse (on le voit avec l'épisode du veau d'or auquel le peuple voue un culte, tandis que Moïse est parti sur la montagne à la rencontre de Yahvé), mais aussi jusqu'à l'exil à Babylone, puisque les derniers livres historiques de la Bible, ceux des

Rois et les Chroniques, écrits après l'exil, rapportent que le peuple ne cesse de retourner à l'idolâtrie et que c'est la raison pour laquelle Dieu le livrera aux mains de ses ennemis. Comme on peut le constater, la Bible elle-même, confirmant les quelques sources historiques textuelles et épigraphiques externes, montre que le monothéisme est le fruit d'un long processus séculaire. Qu'il ait été prôné bien plus tôt ou non, ce n'est de toute façon véritablement qu'aux alentours du ve siècle avant notre ère qu'il s'impose définitivement au sein du judaïsme, au moment où les traditions orales anciennes achèvent d'être mises par écrit et où le peuple juif, qui a failli disparaître, s'interroge sur son identité. Il se donne alors une légitimité politique et religieuse essentielle : malgré son petit nombre et tous ses déboires, il est le peuple élu par le Dieu unique.

Bien que sous domination perse, les juifs peuvent pratiquer librement leur religion. Vers 400 avant notre ère, Esdras entame une nouvelle réforme religieuse. Il interdit les mariages avec les femmes étrangères et codifie définitivement les lois sur le pur et l'impur (six cent treize mitzvot ou « commandements ») qui restent encore en vigueur de nos jours dans le judaïsme orthodoxe. C'est donc seulement à cette époque que la Torah finit d'être écrite. Peu de temps après, tandis que la Bible continue de s'enrichir de nouveaux livres, naît le Talmud dit « de Babylone », recueil de réflexions et d'interprétations de la Torah. La caste sacerdotale gagne en puissance et le Temple de Jérusalem est restauré par Hérode le Grand peu de temps avant la naissance de Jésus. Il est détruit en 70 de notre ère par les armées romaines de Titus et le judaïsme se perpétue alors en diaspora. Les prêtres et les sacrifices disparaissent avec le Temple. Leur succèdent les rabbins qui lisent, interprètent et vérifient l'observance de la Torah dans les synagogues à travers le monde. Entre-temps, le monothéisme juif accouche d'une nouvelle religion qui donne au Dieu unique des juifs un caractère mondial : le christianisme. Mais c'est une autre histoire...

MD – Pourquoi, si les historiens sont sûrs de ces faits, continue-t-on de lire un peu partout que le monothéisme juif date du IIe millénaire avant notre ère, qu'Abraham aurait vécu vers 1800 avant J.-C. et que Moïse aurait libéré les Hébreux vers 1250 avant J.-C. ?

FL – Les chronologies et les histoires que vous évoquez sont établies par les croyants à partir de la Bible. Elles ont tant marqué notre civilisation judéo-chrétienne qu'on a du mal à s'en extraire, même si l'on n'est pas religieux. Tant de romans, de films, tel *Les Dix Commandements* de Cecil B. DeMille, imprègnent notre patrimoine culturel que ces idées persistent alors qu'elles sont battues en brèche par la critique historique depuis bientôt deux siècles, confirmée par les recherches archéologiques depuis plusieurs décennies. Les historiens ne peuvent se satisfaire du récit biblique sans autres sources extérieures. Abraham et Moïse ont peut-être existé, ce dont de nombreux historiens doutent, mais leur histoire ne peut, quoi qu'il en soit, être prise de manière littérale.

MD – Pourquoi ?

FL – Pour au moins trois raisons. Tout d'abord, on ne retrouve aucun document chez les Égyptiens qui atteste la présence des Hébreux, les dix plaies envoyées par Dieu (les eaux changées en sang, les invasions de grenouilles, de mouches, de moustiques, la mort des troupeaux, la peste, la grêle, les sauterelles, les ténèbres et la mort de tous les premiers-nés), puis leur fabuleuse libération par Moïse et la destruction de l'armée de Pharaon engloutie par les eaux de la mer. C'est étonnant chez un peuple qui notait les événements climatiques et sociaux importants tout comme le moindre fait politique et militaire, qu'il soit favorable ou défavorable. D'autant plus que, selon la Bible, ce sont six cent mille familles hébraïques qui se sont ainsi enfuies, ce qui ne passe pas inaperçu dans une population égyptienne estimée par les archéologues à moins de trois millions d'habitants ! Ensuite, on trouve dans le texte biblique de nombreux emprunts à des récits ou à des légendes perses, assyriens ou mésopotamiens attestés avant la mise par écrit des récits bibliques. Ainsi le récit du déluge et de l'arche de Noé est-il presque un copier-coller d'un texte mésopotamien, le *Poème du Supersage*, écrit vers 1700 avant notre ère et repris quelques siècles plus tard dans la fameuse *Épopée de Gilgamesh*, dont les Hébreux ont eu connaissance lors de leur déportation à Babylone. De même, le récit de Moïse sauvé des eaux est une reprise de la légende de Sargon d'Akkad (2296-2240), abandonné dans les eaux du fleuve à sa naissance. On note aussi de nombreux emprunts théologiques (les anges, le Messie sauveur, le Jugement dernier) à la tradition zoroastrienne découverte par les déportés à la cour du roi perse Cyrus le Grand – j'y reviendrai.

Enfin, depuis une cinquantaine d'années, les nombreuses fouilles archéologiques menées en Israël ont complètement mis à bas le récit de la conquête de la Terre promise tel qu'il est mené dans la Bible, notamment dans le livre de Josué. Le livre raconte par exemple comment les célèbres murailles de Jéricho s'effondrèrent par la volonté divine après les sept défilés de l'Arche d'alliance et de sept prêtres sonnant les *chofars* (trompettes) autour de la ville, pendant sept jours. Or les fouilles archéologiques menées par Kathleen Kenyon à la fin des années 1950 ont révélé qu'à la période de la prétendue conquête israélite (seconde moitié du XIIIe siècle avant notre ère) les murailles, et même la ville entière, avaient été rasées depuis plus de deux siècles par les Égyptiens de la XVIIIe dynastie. Josué aurait donc conquis une ville qui n'existait plus ! Toutes les fouilles ultérieures, popularisées par le best-seller du célèbre archéologue israélien Israel Finkelstein, *La Bible dévoilée* (2002), ont fait exploser les représentations traditionnelles de la conquête du pays de Canaan (l'ancienne Palestine romaine) et de l'installation des Hébreux ainsi que du développement de la monarchie. Si le roi David a bel et bien existé, il n'était que le chef d'un petit clan. Quant à la splendeur du Temple construit par son fils Salomon, il s'agit d'un mythe plus tardif, probablement apparu sous le règne de Josias (début du VIIe siècle avant notre ère), au moment où la Bible commence à être écrite.

MD – Si tous ces récits sont surtout constitués de mythes et d'emprunts, cela signifie donc que la foi des juifs ne repose pas sur une révélation divine mais sur des inventions humaines.

FL – Pas nécessairement. Mais il faudrait d'abord préciser la foi des juifs *et* des chrétiens, car ces derniers ont totalement absorbé dans leurs Écritures la Bible hébraïque qu'ils ont appelée « Ancien Testament », mot qui signifie « alliance ». En effet la Bible raconte fondamentalement l'histoire d'une alliance entre Dieu et l'humanité (Adam et Noé), puis entre Dieu et le peuple hébreu à travers la promesse faite par Dieu à Abraham de lui donner une descendance innombrable et une terre, le pays de Canaan. Les Écritures chrétiennes (les quatre Évangiles, les Actes des apôtres, les épîtres de Paul, l'Apocalypse, etc.) forment quant à elles le « Nouveau Testament », car les chrétiens pensent que Dieu a scellé une nouvelle alliance avec l'humanité en la personne de Jésus-Christ. Ancien et Nouveau Testament constituent la Bible chrétienne et les chrétiens attachent beaucoup d'importance à tous les récits de l'Ancien Testament parce que Jésus était juif et croyait aux Écritures saintes de son peuple, mais aussi parce que celles-ci sont censées annoncer la venue du Messie, l'élu de Dieu et le libérateur d'Israël, que les disciples de Jésus reconnaîtront en leur maître.

MD – La critique moderne interpelle donc non seulement les juifs, mais aussi les chrétiens, c'est entendu. Ne sape-t-elle pas le fondement même de la foi en remettant en cause l'historicité du récit biblique ?

FL – En fait, elle ne nie pas tout fondement historique aux récits des origines d'Israël. Il est impossible de savoir si ces textes ont été inventés de toutes pièces pour donner un grand « récit des origines », et donc une légitimité religieuse et politique à l'histoire du peuple juif, ou bien s'ils relèvent de traditions orales très anciennes fondées sur des faits historiques réels. La vérité se situe probablement entre les deux. Abraham et Moïse ont peut-être existé, mais leur vie a été en grande partie inventée. Les Hébreux ont peut-être connu une période d'esclavage en Égypte, qu'ils auraient quittée sous la conduite d'un chef charismatique nommé Moïse, mais ils n'étaient alors vraisemblablement que quelques centaines de familles et leur départ s'est fait sans attirer l'attention de l'aristocratie égyptienne, encore moins du pharaon. Ils se sont ensuite installés en terre de Canaan sans conquête militaire triomphale et, assez rapidement après le règne du roi David, aux alentours du Xe siècle, ils se sont divisés en deux royaumes, celui d'Israël au nord et celui de Juda au sud, autour de Jérusalem. J'ai déjà raconté la suite de l'histoire – parfaitement attestée cette fois par des sources littéraires bibliques, extrabibliques et archéologiques – de la chute des deux royaumes, de la déportation à Babylone et de la reconstruction du Temple au retour de l'exil. C'est dans cette période tardive allant du ve au IIe siècle avant notre ère que se fixe l'identité juive, autour de la Torah (la Loi) et du Temple de Jérusalem, telle que la connaîtra Jésus quelques siècles plus tard. Donc je ne dirais pas que la critique moderne rend impossible toute lecture de la Bible, mais simplement sa lecture littérale. Il y a probablement un fond historique dans certains événements rapportés, mais les narrateurs ont pris beaucoup de liberté avec l'histoire.

MD – Pour des raisons politiques ou religieuses ?

FL – Les deux. Politiques car la Bible tente de donner une légitimité à Israël et à sa royauté. Religieuses, dans la mesure où ces événements peuvent être lus non pas simplement au sens littéral, mais dans un sens symbolique et spirituel plus profond. Par exemple, l'histoire d'Adam et Ève dans le jardin d'Éden est un mythe qui n'a assurément aucun fondement historique, mais qui entend dire quelque chose de profond sur l'humanité dans son lien à Dieu : l'être humain est actuellement en état d'exil par rapport à

Dieu qui est sa source, parce qu'il s'est coupé de lui, et Dieu se révèle à l'homme pour l'aider à restaurer ce lien rompu. C'est là toute la trame fondamentale de la Bible. De même, l'histoire d'Abraham, même si le personnage n'a pas nécessairement existé, est riche d'enseignement spirituel.

MD – Parce qu'il est l'archétype du croyant ?

FL – En effet. Voilà un homme qui vit en Mésopotamie, dans la ville d'Ur, et à qui Dieu va demander de tout quitter, sa famille et la terre de ses ancêtres, pour se rendre dans une terre inconnue, la fameuse Terre promise. Alors qu'il est déjà vieux, Abraham obéit à Dieu. Puis Dieu lui fait la promesse d'une descendance innombrable alors que sa femme Sarah est stérile et déjà très âgée. Il fait confiance à Dieu et Sarah enfante Isaac. Puis, quelques années plus tard, on l'a vu, Dieu demande à Abraham d'immoler son fils, ce fils de la promesse, ce qui est aussi absurde que cruel. Mais Abraham obéit toujours à Dieu et s'apprête à sacrifier son fils lorsqu'un ange arrête son bras : Dieu le lui interdit. On peut voir à travers ces épisodes une métaphore de la foi : le vrai croyant change de vie, doit être prêt à renoncer à sa famille, à ses liens sociaux, pour aller vers une terre inconnue, celle de la quête spirituelle qui le déstabilise nécessairement. Il a toujours confiance en Dieu malgré les apparences et les obstacles. Et Dieu, qui a éprouvé sa foi, lui montre qu'il est toujours fidèle à sa promesse et transforme son regard en montrant que la vraie foi n'exige pas de sacrifices sanglants, comme les religions dominantes de l'époque le pensaient.

Il en va de même pour le livre de l'Exode. Même si l'histoire de Moïse a un substrat historique faible, elle parle surtout de libération intérieure. L'Égypte représente le monde de la servitude au péché et la Terre promise est le symbole du royaume de Dieu, c'est-à-dire d'un monde libéré du mal et du péché. L'errance de quarante ans (nombre symbolique que l'on retrouve dans beaucoup de traditions religieuses) du peuple hébreu dans le désert peut être perçue comme le chemin initiatique par lequel Dieu conduit chaque croyant de l'esclavage à la liberté, en l'éduquant par la Loi (les Dix Commandements reçus par Moïse au mont Sinaï), en l'éprouvant et le consolant. On peut ainsi faire une lecture spirituelle et symbolique de la plupart des récits de la Bible, car les histoires qui y sont racontées sont frappantes, universelles et peuvent encore nous émouvoir. Les Psaumes, par exemple, ces magnifiques prières, sont encore récités par les juifs religieux, mais aussi quotidiennement par les moines catholiques du monde entier qui en lisent l'intégralité dans leurs offices sur une semaine. Le Cantique des cantiques est l'un des plus vieux et des plus beaux poèmes d'amour de l'humanité, à forte charge érotique. Certains livres sapientiaux, comme Qohelet, offrent une profonde méditation sur la vie. La Bible regorge ainsi de trésors littéraires, d'histoires palpitantes, de textes chargés de sens, mais il est aujourd'hui rationnellement impossible d'en faire une lecture purement littérale à la manière des fondamentalistes juifs et chrétiens qui affirment que Dieu a créé le monde il y a moins de six mille ans, que Moïse est l'auteur unique de la Torah (le récit de sa propre mort y est d'ailleurs raconté à la fin, ce qui pose un problème insoluble aux fondamentalistes) et qu'il a traversé la mer Rouge à pied sec à la tête de six cent mille familles.

J'ajouterai qu'en plus de la critique historique et

archéologique, il y a aussi au sein de la Bible de nombreuses contradictions qui rendent sa lecture littérale absurde, ainsi que des versets particulièrement violents qui, pris au premier degré, font de Dieu un être d'une cruauté exceptionnelle, tuant par exemple tous les enfants premiers-nés d'Égypte pour punir Pharaon qui s'obstine à maintenir les Hébreux en esclavage. Quant à Moïse et ses successeurs, ils ne se privent pas d'ordonner maints massacres au nom de Dieu lors des guerres contre les infidèles ou de la conquête de la Terre promise. Ainsi, lors d'une expédition punitive contre les Madianites, Moïse est furieux parce que ses commandants, pris de pitié, ont laissé en vie les femmes et les enfants. Il leur dit : « Tuez tous les enfants mâles. Tuez aussi toutes les femmes qui ont connu un homme en partageant sa couche. Ne laissez la vie qu'aux petites filles qui n'ont pas connu la couche d'un homme, et qu'elles soient pour vous » (Nombres, 31, 17). Une lecture historique et littérale de la Bible fait ainsi de Moïse un criminel qui enjoint non seulement de tuer femmes et enfants, mais aussi de violer les petites filles ! Et je pourrais multiplier les exemples.

MD – Ce que nous appelons aujourd'hui la Bible est une bibliothèque de textes très variés.

FL – La plupart des textes ont été écrits en hébreu et quelques passages en araméen, devenu la langue courante du peuple juif au retour de l'exil. À cette époque, on ne parle pas encore de Bible, mais du *TaNaK*, terme formé de la première lettre des trois mots hébreux qui signifient « Loi » (*Torah*), « Prophètes » (*Nebiim*) et « Écrits » (*Ketouvim*). Les Écritures juives sont ainsi regroupées en trois grands groupes. Le Tanak est traduit en grec au IIIe siècle avant notre ère par des érudits de la communauté juive d'Alexandrie. Il prend le nom de « Septante » car, selon la légende, soixante-dix sages participent à sa traduction. C'est alors qu'apparaît l'expression *tà biblia*, neutre pluriel qui signifie « les livres », en référence à la ville phénicienne de Byblos où l'on vend le papyrus importé d'Égypte nécessaire à l'écriture. Mais les juifs comme les premiers chrétiens utilisent l'expression « les Écritures », et ce n'est qu'au Moyen Âge que le terme latin *Biblia* (Bible), comme singulier féminin, s'impose pour parler des Écritures juives et chrétiennes. Il est intéressant de noter que si les chrétiens ont conservé l'intégralité du Tanak, ils ont changé l'ordre des trois grands groupes : s'ils commencent aussi par la Loi, ils ont placé les Prophètes après les Écrits, juste avant les textes du Nouveau Testament, afin d'insister sur le fait que Jésus était annoncé par les prophètes antérieurs et qu'il est l'ultime envoyé de Dieu, son Messie.

MD – La découverte des fameux manuscrits de Qumran, à partir de 1948, à côté de la mer Morte, a-t-elle apporté des révélations sur la datation ou la rédaction des Écritures juives et chrétiennes ?

FL – Chrétiennes non, car aucun de ces textes ne fait référence à Jésus, puisqu'ils ont été écrits entre le IIIe siècle avant notre ère et le tout début de notre ère, alors que Jésus n'avait pas encore commencé sa prédication. Ce sont des textes uniquement juifs, très probablement écrits par la fameuse communauté des Esséniens, dont parle l'historien juif Flavius Josèphe vers la fin du Ier siècle de notre ère dans ses *Antiquités juives*. On a trouvé ces manuscrits à l'intérieur de jarres cachées dans des grottes, juste à côté de ruines esséniennes. Parmi eux, de nombreux textes faisant référence à la vie quotidienne et aux règles religieuses de ce peuple, mais aussi, et c'est ce qui a le plus passionné les spécialistes de la Bible, des extraits de presque tous les livres du Tanak, les plus anciens remontant au IIIe siècle avant notre ère, ce qui confirmait que la Bible hébraïque était bien constituée à cette époque, alors que certains historiens affirmaient qu'elle n'avait été achevée qu'au début du Ier siècle avant notre ère. La Bible hébraïque en hébreu la plus ancienne que l'on possédait jusqu'alors datait du Xe siècle de notre ère et d'un coup, on découvrait un manuscrit presque complet de la Bible qui lui était antérieur de plus de mille ans ! C'est cela qui fait de Qumran l'une des plus grandes découvertes archéologiques de tous les temps. Mais il n'y a aucune révélation particulière qui irait remettre en question les histoires contenues dans la Bible elle-même... et encore moins quant à la vie de Jésus, contrairement à ce qu'affirme Dan Brown dans le *Da Vinci Code* !

MD – Comment, compte tenu de la critique moderne, la Bible peut-elle encore être considérée comme la parole de Dieu ?

FL – Les croyants peuvent dire – et ils le font, à l'exception des fondamentalistes – que la Bible est un livre non pas écrit ou dicté par Dieu, mais *inspiré* par Dieu et qui demande à être interprété. Certains passages peuvent être compris au premier degré et d'autres exigent une interprétation symbolique ou spirituelle. Les croyants les plus ouverts à la critique moderne – surtout les chrétiens libéraux – vont plus loin en disant que si certains livres et passages de la Bible sont inspirés par Dieu, d'autres sont seulement le fruit d'une idéologie de conquête politique. On retrouve d'ailleurs le même problème avec le Coran, nous le verrons.

MD – Ce qui vaut pour les chrétiens vaut-il aussi pour les juifs ? J'imagine que ces derniers n'ont pas le même discours selon le courant auquel ils appartiennent.

FL – Le courant historique le plus ancien est le courant dit « orthodoxe » qui laisse peu de place à la critique historique moderne. Ce courant reste tributaire d'une conception traditionnelle, bien résumée par le grand penseur Maïmonide au XIIe siècle selon lequel « la Torah provient des cieux, c'est-à-dire que nous croyons que toute cette Torah présentement entre nos mains est la Torah qui a été donnée à Moïse, et qu'elle provient tout entière de la "bouche de Dieu" ». Nous avons vu qu'une telle posture est rendue de nos jours impossible du fait des connaissances philologiques, historiques et archéologiques. D'ailleurs, elle fut déjà battue en brèche par le philosophe Baruch Spinoza au XVIIe siècle, ce qui valut à ce dernier d'être violemment exclu de la synagogue. Mais elle continue d'être soutenue par la plupart des rabbins du courant orthodoxe qui affirment qu'y renoncer conduirait à ruiner le fondement de la foi juive.

MD – D'autres courants du judaïsme intègrent quand même la critique moderne !

FL – Bien sûr ! Le judaïsme réformé, qui est né en Europe dans la mouvance des Lumières, est le plus ouvert à la critique historique et considère que chaque juif peut librement interpréter de manière littérale ou symbolique la Torah et que l'observation des mitzvot ne constitue pas l'essentiel de la religion juive, laquelle est avant tout une exigence éthique. Le mouvement réformé insiste aussi sur la revalorisation de la femme. Aujourd'hui, les différents mouvements dits « du judaïsme libéral », héritiers contemporains du judaïsme réformé, acceptent par exemple que des femmes deviennent rabbins, ce qui est impensable pour les juifs orthodoxes. En revanche, le *conservative judaism*, assez puissant aux États-Unis, qu'on appelle en Europe le « mouvement massorti » (de l'hébreu *massoret*, « chaîne, tradition »), né au début du XXe siècle, se veut à la fois traditionnel et moderne. Traditionnel en ce qu'il considère, à l'instar des orthodoxes, que le judaïsme repose essentiellement sur l'observation des mitzvot en tant qu'ordres divins, et moderne parce qu'il admet que la Torah n'est pas descendue du ciel telle quelle, mais qu'elle est le fruit d'un processus littéraire et historique complexe, d'une interaction entre parole divine et interprétation humaine. Autrement dit, même si la Torah n'a pas été dictée mot à mot par Dieu à Moïse, même si elle est l'œuvre de nombreux auteurs et le fruit séculaire de la méditation des Anciens d'Israël, même si elle emprunte à d'autres traditions extérieures, elle exprime une intention divine bien réelle. Tandis que la plupart des orthodoxes sont figés dans une posture fondamentaliste, les libéraux et les massorti admettent la place essentielle de la médiation humaine dans l'élaboration de la Torah et considèrent que la révélation est un processus historique où inspiration divine et contextualisation humaine s'imbriquent nécessairement.

MD – Cette manière de voir les choses, qui tente

d'harmoniser tradition et modernité, est-elle majoritaire de nos jours ?

FL – Il y a bien sûr de nombreux juifs athées, agnostiques ou croyants non pratiquants, mais chez les religieux pratiquants, les orthodoxes qui prônent une lecture fondamentaliste de la Bible restent très majoritaires, que ce soit en Israël, en Europe ou aux États-Unis. La plupart rejettent en bloc la critique historique et ne peuvent tolérer l'idée que Moïse n'ait pas écrit la Torah sous la dictée de Dieu. Exactement comme le font les fondamentalistes musulmans, également très majoritaires, pour Mohamed et le Coran.

MD – Comment pouvez-vous affirmer que les fondamentalistes sont majoritaires chez les juifs et les musulmans ?

FL – Les fondamentalistes sont majoritaires chez les juifs et les musulmans croyants et fidèles à l'orthodoxie. Car l'orthodoxie juive et musulmane prône une lecture littérale de la Bible et du Coran pour les raisons que je viens d'évoquer. Les chrétiens ont longtemps eu aussi une lecture fondamentaliste de la Bible, mais ce n'est plus le cas de nos jours pour une large majorité, à l'exception des intégristes catholiques et des protestants évangéliques fondamentalistes. Cela tient au fait que la critique historique moderne est née dans la culture chrétienne. La plupart des pionniers de la critique biblique étaient des pasteurs protestants ou des théologiens catholiques. Certains se sont heurtés à leur Église respective. Mais ces dernières ont évolué et, de nos jours, les Églises catholique et protestantes ont parfaitement intégré la plupart des acquis de la critique historique. Elles se contentent d'affirmer, comme les juifs libéraux ou massorti, que Dieu a non pas dicté mot à mot mais inspiré les Écritures saintes, lesquelles ne doivent pas être lues de manière littérale. Dans son dernier ouvrage, *Jésus de Nazareth* (2011), le pape Benoît XVI lui-même fournit un bon exemple de l'utilisation de l'exégèse critique dans sa lecture des Évangiles. Il ne cesse de préciser que telle parole de Jésus est probablement un ajout tardif, que telle autre au contraire donne des garanties très probables d'authenticité, etc. Bref, il est parfaitement imprégné de la critique rationnelle de la Bible, dans laquelle sont aujourd'hui formés tous les théologiens catholiques et protestants. Et cela à l'inverse de la plupart des rabbins juifs orthodoxes et des imams musulmans qui continuent de faire une lecture fondamentaliste traditionnelle de leurs Écritures, de peur sans doute que tout l'édifice s'écroule.

On a assisté ainsi dans les années 1960 à un épisode mémorable qui a marqué en profondeur la communauté juive anglophone. L'un des principaux rabbins anglais, Louis Jacobs (mort en 2006), formé dans la stricte orthodoxie, s'est vu refuser sa nomination à la direction du Jews' College, séminaire formant les rabbins anglais, par un veto du grand rabbin d'Angleterre du seul fait qu'il prenait en compte certains aspects de la critique historique moderne et risquait ainsi de contaminer les futurs rabbins, en leur inculquant par exemple que les Écritures témoignent de la perception humaine de l'absolu et non de son expression immédiate. Jacobs a été en proie à de telles attaques qu'il a dû rompre avec l'orthodoxie pour devenir la figure phare du judaïsme massorti, qu'il considérait comme le courant éclairé du judaïsme traditionnel.

MD – La brève expérience d'Akhénaton en Égypte mise à part, les juifs sont-ils les inventeurs du monothéisme ?

FL – Nous avons vu que la croyance monothéiste juive ne peut être attestée avant le VIIe-Ve siècle avant notre ère, c'est-à-dire juste avant et juste après la déportation des élites du judaïsme à Babylone. C'est à ce moment précis que s'impose le culte au Dieu unique. Yahvé n'est plus seulement une divinité nationale, celle des juifs, qui cohabite avec de nombreuses autres divinités, il devient le seul véritable Dieu, créateur du monde. Or on sait aujourd'hui qu'une autre religion monothéiste est née à peu près au même moment en Perse : le zoroastrisme. Ahura Mazda (littéralement l'« existence qui possède la sagesse ») est le Dieu unique de la religion mazdéenne fondée par Zarathoustra (Zoroastre en grec). Les poèmes, ou chants, qui lui sont attribués, les *Gathas*, de très beaux textes que l'on n'est parvenu à traduire qu'au milieu du XIXe siècle, font état d'une religion strictement monothéiste, même si elle s'inscrit dans un dualisme éthique en posant le combat entre le bien et le mal comme la condition fondamentale de la vie. Si Ahura Mazda est présenté comme le Dieu unique, créateur du monde, à la différence du Dieu de la Bible, il a besoin de ses créatures pour achever sa création qui est encore imparfaite. Dieu inspire l'idée de bien et soutient les efforts de tous les êtres qui aspirent à achever l'œuvre divine jusqu'à la perfection. Le monde tend donc vers un état de réalisation ultime où le mal et la mort disparaîtront. À l'image des prophètes bibliques, Zarathoustra parle à Dieu et Dieu lui répond. On est donc devant une tradition prophétique très proche de celle de la tradition juive.

La question de savoir laquelle des deux traditions est la plus ancienne est très discutée. Les zoroastriens font remonter la naissance de leur prophète à 1778 ans avant notre ère, voire davantage. Mais si l'on applique la même méthode historique et critique au zoroastrisme qu'au judaïsme ancien, on peut sérieusement douter de cette ancienneté. On a certes découvert récemment à Margadia, au Turkménistan, certains temples zoroastriens qui pourraient dater du IIe millénaire avant notre ère, mais il n'y a pas consensus sur cette datation. On peut aussi faire valoir que l'avestique ancien, la langue dans laquelle ont été rédigés les *Gathas*, est très proche du sanskrit védique qui date aussi du IIe millénaire, mais ce n'est pas un argument décisif. On sait en revanche avec certitude, grâce à des tablettes trouvées à Persépolis, que le culte d'Ahura Mazda existait déjà à la fin du VIe siècle. Zarathoustra a-t-il vécu à cette époque ou bien quelques siècles plus tôt ? Son nom n'est mentionné la première fois qu'au Ve siècle par l'historien grec Hérodote. On ne peut donc pas affirmer, comme le font les zoroastriens et certains historiens, que le zoroastrisme est la première grande religion monothéiste de l'humanité, mais on peut toutefois constater qu'au moment même où se forgeait le monothéisme juif, un autre monothéisme se développait à quelques milliers de kilomètres de la Judée. Les juifs furent d'ailleurs en contact avec le zoroastrisme lors de leur exil à Babylone et surtout de leur libération par le roi perse Cyrus, en 539 avant notre ère. Ce personnage les marqua si fortement que le prophète Isaïe en fit carrément une figure messianique : « Ainsi parle l'Éternel à son messie, Cyrus, celui qu'il tient par la main droite pour écraser les nations devant lui et pour désarmer les rois... » (Isaïe, 45, 1-3).

MD – Aujourd'hui, on dirait que c'est de la récupération !

FL – D'autant plus que Cyrus, qui était d'une grande tolérance et qui laissait à ses peuples conquis la liberté de religion, était dans une perspective hénothéiste et non monothéiste, car il admettait la présence d'autres dieux à côté d'Ahura Mazda. On trouve aussi dans certains livres bibliques écrits après l'exil plusieurs emprunts théologiques au zoroastrisme, comme justement la notion messianique, mais aussi toute l'angéologie et la hiérarchie angélique (les sept archanges, les anges gardiens, etc.) ou encore l'idée d'une fin du monde et d'un jugement dernier où Dieu jugera les vivants et les morts. Ces thèmes sont si vivaces dans le judaïsme tardif, celui que connaît Jésus, qu'ils imprègnent en profondeur son enseignement. À tel point que le cardinal Franz Koenig, l'une des plus grandes figures du concile Vatican II et ancien archevêque de Vienne, un érudit bien au fait des religions de l'Antiquité, n'hésitera pas à affirmer dans un colloque à Téhéran, le 24 octobre 1976 : « Quiconque désire comprendre Jésus doit partir de l'univers spirituel de Zoroastre. »

MD – L'idée d'un Dieu unique et créateur se développe donc en parallèle dans deux régions du monde méditerranéen au cours du Ier millénaire avant notre ère. Pourquoi le judaïsme l'emportera-t-il sur le zoroastrisme ?

FL – Sans doute pour ces deux raisons : la force et la beauté du récit biblique et le succès foudroyant du christianisme à partir du IVe siècle de notre ère, qui va en quelque sorte mondialiser le Dieu biblique des juifs auquel il se réfère.

MD – Et pourtant les chrétiens vont se séparer des juifs et les persécuter pendant des siècles...

FL – Oui, mais il faut distinguer les deux choses. Jésus est juif et tous ses premiers disciples le sont aussi. La rupture entre les juifs et les judéo-chrétiens (les premiers disciples de Jésus) intervient au cours des premières décennies qui suivent la mort de Jésus, d'une part parce que de nombreux juifs ne reconnaissent pas Jésus comme le Messie, d'autre part parce que certains chefs de file de la nouvelle Église chrétienne, à commencer par Paul, ne veulent pas imposer les lois juives aux nouveaux convertis issus du paganisme. Pour Paul, c'est dorénavant la foi en Jésus-Christ qui est source du salut et non la stricte observance de la loi de Moïse. La rupture entre juifs et chrétiens devient inévitable. Mais les chrétiens, qu'ils soient issus du judaïsme ou du paganisme, adoptent la Bible juive à laquelle ils ajoutent leur propres écrits.

En revanche, c'est vrai, ils vont violemment rejeter le peuple juif, considéré désormais comme « déicide » (l'expression date du IIe siècle), qui a tué Jésus, le fils de Dieu. Il faudra attendre le XXe siècle, avec le concile Vatican II (1962-1965), pour que l'Église tourne radicalement le dos à cette conception erronée (ce sont certains grands prêtres et non le peuple dans son ensemble qui ont voulu la mort de Jésus) et dramatique, puisqu'elle a enseigné la haine et le mépris des juifs pendant près de deux millénaires. Fort heureusement, il existe aujourd'hui de nombreux mouvements juifs et chrétiens qui tentent de restaurer la relation entre ces deux religions sœurs. L'impact du pontificat de Jean-Paul II a été à ce titre déterminant dans la mesure où il a été le premier pape à se rendre dans la grande synagogue de Rome et à demander pardon au peuple juif pour les crimes commis par les chrétiens. De nombreux théologiens chrétiens travaillent à la réhabilitation du judaïsme dans la théologie chrétienne et de plus en plus de juifs s'intéressent à la figure de Jésus, qu'ils reconnaissent comme leur, sans pour autant renoncer à leur judaïsme. Tout cela était encore inimaginable il y a cinquante ans. Mais pour revenir à notre sujet, il est certain que le succès du monothéisme juif dans l'histoire de l'humanité et particulièrement dans le développement de la civilisation occidentale tient essentiellement au succès planétaire du christianisme.

4

Jésus : Dieu est amour

MARIE DRUCKER – Jésus était donc un juif pratiquant attaché à la Torah. Les quatre Évangiles de Marc, Matthieu, Luc et Jean rapportent comment les grands prêtres de Jérusalem l'ont livré au procurateur romain, Ponce Pilate, pour qu'il le condamne à mort. Pourquoi dérangeait-il à ce point ?

FRÉDÉRIC LENOIR – Comme vous le faites justement remarquer, c'est principalement à travers les Évangiles (le mot signifie « bonne nouvelle ») que nous sommes renseignés sur cette question. Ces textes ont été écrits à partir de récits oraux entre quarante et soixante-dix ans après la mort de Jésus, très probablement survenue en l'an 30 de notre ère. Les quatre Évangiles ont été précédés des épîtres de Paul, écrites une vingtaine d'années après la mort de Jésus, mais Paul n'avait pas connu Jésus. C'était un juif érudit et fanatique qui persécutait les disciples de Jésus (il aurait participé à la lapidation d'Étienne) et qui s'est soudain converti à la foi chrétienne après avoir eu une vision dans laquelle Jésus lui aurait dit : « Pourquoi me persécutes-tu ? » (Actes des apôtres 9). Devenu un ardent promoteur du message du Christ, Paul a joué un rôle déterminant dans la construction de la foi chrétienne par opposition à la Loi juive, en insistant sur la foi et l'amour comme éléments les plus importants de la pratique religieuse au détriment de l'observance de la Loi. Pourtant Jésus ne s'est jamais distancié du judaïsme, même s'il a voulu le réformer par son message de miséricorde, de pardon, d'amour, opposé au légalisme strict.

MD – Donnez-nous des exemples.

FL – Ils sont légion. Pour moi, l'épisode le plus frappant est celui de la femme prise en flagrant délit d'adultère : des scribes et des pharisiens amènent cette femme devant Jésus en lui rappelant que la Loi exige de la lapider. Ils veulent ainsi le piéger, se doutant bien qu'il refusera d'y souscrire. Jésus se baisse et écrit quelque chose sur le sable, puis il se relève et dit : « Que celui qui n'a jamais péché lui jette la première pierre. » Et Jean, qui rapporte cet épisode, nous dit que tous les accusateurs de la femme partent les uns après les autres « en commençant par les plus vieux » (Jean 8). Jésus viole aussi parfois la sacro-sainte loi du shabbat et mange sans avoir fait les ablutions rituelles ; il fréquente des lépreux, des prostituées, des Samaritains, tous ceux que les hommes religieux considèrent comme « impurs ». En fait, il déplace la distinction traditionnelle entre le pur et l'impur en affirmant qu'elle s'applique non aux objets ou aux états de certaines personnes (femmes en période de menstruation, infidèles, lépreux, etc.), mais à ce qui sort du cœur de l'homme : ses pensées et ses intentions bonnes ou mauvaises (Marc 7). Sans jamais rompre avec le judaïsme, sans jamais vouloir abroger la Loi, il la redéfinit néanmoins en profondeur, ce qui ne pourra que causer sa perte.

MD – Pour quelles raisons ? Car, comme vous le dites, il n'a pas rompu avec le judaïsme ! Il a tenté de le réformer, de montrer que l'esprit de la Loi est plus important que sa lettre, comme d'autres prophètes avant lui, d'ailleurs...

FL – Bien sûr, mais la plupart des prophètes finissent mal, car ils dérangent et dénoncent les institutions qui détiennent le pouvoir ! Le conflit n'est pas entre Jésus et le judaïsme, comme on le pense encore souvent à tort, mais entre Jésus et le pouvoir religieux. Les autorités religieuses de son époque ne pouvaient entendre un message aussi révolutionnaire. Elles risquaient d'en perdre leur pouvoir et les énormes revenus tirés des sacrifices du Temple servant à la purification. Revenus contre lesquels Jésus s'indigna violemment : « Vous avez fait de la maison de mon Père une maison de commerce » (Jean 2, 16). Si on ajoute à cela le fait qu'il appelait Dieu « mon Père », se présentant ainsi dans une relation privilégiée à Dieu, on peut très bien comprendre que certains grands prêtres, comme le rapportent les Évangiles, aient eu envie de le faire périr. Et comme il leur était interdit de le faire directement, ils en appelèrent à la puissance romaine occupante, seule habilitée à prononcer une peine capitale.

Paul franchit toutefois un pas supplémentaire en proposant que les nouveaux convertis issus du paganisme ne soient pas soumis aux contraintes de la Loi juive (la circoncision et les règles de pureté alimentaires et rituelles). Cela provoqua de vives tensions au sein de la jeune communauté chrétienne alors uniquement composée de juifs. Paul finit par convaincre les principaux apôtres, Pierre et Jacques, lors d'une rencontre à Jérusalem qui se tint une vingtaine d'années après la mort de Jésus et qui consacra d'une certaine manière la rupture définitive avec le judaïsme : dorénavant, la Loi de Moïse n'aurait plus à être observée par les nouveaux disciples du Christ. C'est pourquoi on peut considérer que Paul est le véritable fondateur du christianisme comme religion distincte du judaïsme.

MD – Jésus-Christ n'est donc pas le fondateur de la religion qui porte son nom ?

FL – Dans la mesure où il n'a jamais abrogé la Torah, dans la mesure où il n'a jamais cessé d'affirmer son attachement à la foi et aux rituels juifs (même s'il prenait parfois une grande liberté avec eux pour montrer qu'ils n'étaient que des moyens), Jésus n'a pas fondé de nouvelle religion distincte du judaïsme. « Je ne suis pas venu abolir la Loi, mais l'accomplir », affirme-t-il dans son célèbre sermon sur la montagne. C'est Paul qui va précipiter la scission d'avec le judaïsme en affirmant que la foi en Jésus remplace désormais la Loi de Moïse dans le plan de Dieu. C'est lui qui va développer toute la théologie de la rédemption et du salut universel par le Christ. Et c'est chez lui que l'on trouve en germe la théologie de l'incarnation, même s'il faut attendre la fin du Ier siècle et l'Évangile de Jean pour qu'elle soit explicitée. C'est vrai, l'Église chrétienne est née avec Paul.

MD – Même s'ils n'ont été rédigés que quelques décennies après les faits, et non plusieurs siècles après, comme la Bible, peut-on faire confiance aux Évangiles ? Comment même être certain que Jésus a existé ?

FL – Nous n'avons aucune preuve absolue de l'existence de Jésus, parce qu'il n'a rien écrit et qu'il était de son vivant un personnage inconnu des historiens romains. Ce qui est d'ailleurs tout à fait normal, puisqu'il n'était qu'un obscur petit prophète juif de la lointaine province de Judée, comme il y en eut des dizaines après l'occupation romaine. Ce n'est que plusieurs décennies après sa mort, lorsque sa communauté de disciples n'a cessé de grandir, que les historiens antiques se sont intéressés à ce personnage. De même, il est logique qu'on ne retrouve aucune trace archéologique de sa vie, car il n'a construit aucune cité, n'a pas fait battre de monnaie à son effigie et n'habitait aucun palais. C'était une sorte de vagabond errant qui dormait le plus souvent à la belle étoile, entouré d'une communauté de disciples composée principalement de petites gens du peuple, sans culture, de marginaux et de réprouvés. La seule chose qui puisse prouver son existence, mais c'est une preuve par l'absurde, c'est que sa non-existence poserait bien davantage de problèmes aux historiens que son existence ! Car si Jésus n'a pas existé, comment expliquer le mouvement qui s'est créé autour de son nom (par qui ? pour quoi ?). Comment expliquer que des dizaines de disciples aient été persécutés en son nom par les autorités juives et romaines, beaucoup allant jusqu'à donner leur vie par fidélité à leur foi en lui ? Et dans quel but aurait-on inventé une histoire aussi absurde et peu séduisante que celle d'un fils de Dieu qui finit crucifié comme un vulgaire criminel ? Et puis, contrairement à ce qu'on a vu pour Moïse et Abraham, le récit de son existence a été écrit alors que des témoins oculaires étaient encore vivants. Bref, pour toutes ces raisons, les historiens sont unanimes à valider l'existence historique de Jésus, ce qui ne signifie pas que ce que racontent ses disciples soit toujours vrai. Les quatre Évangiles sont des textes écrits par des croyants, dans un contexte très particulier de double persécution de la part des autorités juives et romaines. Ces textes reflètent la foi des premiers disciples de Jésus et portent la trace de ces polémiques. Ce ne sont donc pas des documents à prendre au pied de la lettre. Certains faits peuvent avoir été inventés pour les besoins de la cause et l'on peut aussi relever des erreurs historiques ou quelques contradictions flagrantes entre les différents récits évangéliques.

MD – Par exemple ?

FL – Matthieu affirme que Jésus est né sous le règne du roi Hérode. On sait de nos jours avec certitude que Hérode est mort en l'an 4 avant notre ère. En soi, cela n'est pas un problème pour les historiens, puisqu'on s'est aperçu que le moine Denys le Petit, chargé au VIe siècle par le pape de dater la naissance de Jésus, a fait une erreur de six ans en s'appuyant sur le règne de Tibère. Il faut dater en réalité la naissance de Jésus vers – 6 et il est donc bien né sous Hérode.

MD – Ce qui signifie que notre calendrier établi à partir de la date de naissance présumée de Jésus est complètement faux ! Nous sommes donc non pas en 2011, mais en 2017 après la naissance du Christ ?

FL – Absolument. Et Jésus n'est pas mort à trente-trois ans, mais sans doute à trente-six ans, puisqu'il a très vraisemblablement été crucifié en l'an 30 de notre ère et non en l'an 33, comme on l'a longtemps cru. Mais pour en revenir aux incohérences des Évangiles, là où les textes posent problème, c'est quand Matthieu et Luc affirment que Jésus est né à Bethléem, en Judée. Ses parents vivaient à Nazareth, une petite ville de Galilée, où Jésus a aussi vécu une trentaine d'années comme humble menuisier, jusqu'au début de sa prédication. Or comme les Écritures juives, à travers le prophète Michée, annonçaient que le Messie, descendant de David, viendrait de Bethléem, il était indispensable aux évangélistes de faire naître Jésus dans cette ville, pour convaincre leurs auditoires juifs qu'il était bien le Messie attendu. Matthieu résout le problème en faisant comprendre que la famille de Jésus vivait en Judée, à Bethléem ou à côté, jusqu'à sa naissance, avant de déménager pour aller vivre en Galilée, à Nazareth. Luc affirme au contraire que sa famille vivait déjà à Nazareth mais que Joseph, le père de Jésus, avait dû se rendre à Bethléem, à cause du recensement ordonné par l'empereur Auguste, alors que Quirinius était gouverneur de Syrie. Joseph étant, selon les Évangiles, de la lignée de David, il serait descendu à Bethléem avec Marie enceinte de Jésus, lequel serait donc né là où il fallait pour que la prophétie s'accomplisse. Or on sait de nos jours que Quirinius n'a été gouverneur de Syrie qu'à partir de l'an 6 de notre ère. Jésus avait donc au moins douze ans à l'époque du fameux recensement, puisqu'il est né vers – 6 ! Il est donc fort probable qu'il soit tout simplement né à Nazareth et les contradictions entre Matthieu et Luc s'expliquent simplement par le désir du second de fournir une justification au curieux exil de sa famille à Bethléem juste au moment de sa naissance.

On pourrait donner d'autres exemples de contradictions ou d'exagérations des textes évangéliques, mais dans l'ensemble, et sans doute du fait qu'ils sont écrits assez rapidement après les événements rapportés, ils semblent assez fiables par leur cohérence interne, leur description très précise du milieu juif et de la Jérusalem de l'époque. Quelques sources extérieures (Flavius Josèphe, Tacite, Pline le Jeune) confirment la mort de Jésus sous Ponce Pilate et les exégètes pensent que la vie et les paroles de Jésus sont globalement fidèles aux faits, même si certaines paroles ont pu être inventées ou déformées et que des événements miraculeux, comme sa naissance dans le sein virginal de Marie ou le rideau du Temple qui se serait déchiré en deux au moment de sa mort, sont des inventions théologiques destinées à convaincre les auditoires de l'époque que Jésus était bien le Messie attendu.

On peut notamment penser que le récit de sa passion est authentique dans sa trame principale, tant il était peu glorieux d'affirmer avec force détails la fin tragique et pitoyable du maître, flagellé et crucifié comme un criminel, mais aussi abandonné de tous ses disciples à l'exception des femmes et du plus jeune d'entre eux : Jean. L'épisode final de la résurrection pose évidemment un énorme problème à l'historien qui ne peut en rien se prononcer sur un fait miraculeux, si ce n'est pour dire qu'il n'y a aucune preuve tangible de la résurrection. Or cet épisode est au fondement même de la foi chrétienne.

MD – En tant qu'historien des religions, vous vous heurtez donc en permanence au problème de la preuve et de la foi.

FL – Il est vrai que l'on peut appliquer la même remarque aux textes du Nouveau Testament qu'à ceux de l'Ancien : ce ne sont pas des témoignages objectifs, mais le reflet de la foi de leurs rédacteurs. Ils ne peuvent être pris au pied de la lettre et demandent à être interprétés, même si la proximité des événements les rend *a priori* plus crédibles que ceux rapportés dans les premiers livres de la Bible sur l'origine du monde et du peuple hébreu. J'ajouterai, à l'inverse de la théorie conspirationniste de Dan Brown dans le *Da Vinci Code*, que si l'Église avait totalement trafiqué les textes primitifs lorsqu'elle avait le soutien du pouvoir politique au IVe siècle et que le canon des Écritures était définitivement fixé, elle aurait supprimé leurs incohérences et les paroles gênantes pour elle. Or il n'en est rien, ce qui montre que les chrétiens des premiers siècles n'ont pas osé toucher à ces premiers témoignages qu'ils considéraient comme authentiques, alors que certains épisodes, comme celui du reniement de Pierre ou de la fuite des apôtres lors de la passion de Jésus, ne sont guère glorieux.

MD – Il y a quelque chose de très étrange dans les Évangiles pour nos esprits modernes, c'est l'abondance de miracles. On a l'impression que Jésus passe son temps à faire des miracles. Est-ce censé nous donner envie de croire ?

FL – Un grand théologien catholique contemporain a affirmé : « Je crois... malgré les miracles ! » Ce qui pose problème pour nous aujourd'hui était, à l'inverse, source d'adhésion à l'époque de Jésus. Certains exégètes pensent que tous les miracles ont été inventés par les évangélistes pour manifester la puissance surnaturelle de Jésus et convaincre leurs auditoires qu'il était bien l'élu de Dieu. Que plusieurs aient été inventés, c'est fort possible, mais tous, je ne crois pas, car il y en a beaucoup, notamment des guérisons multiples, et si l'on enlève tous ces gestes, on ampute les Évangiles d'un bon tiers. Mais s'agit-il vraiment de miracles, c'est-à-dire d'interventions directes de Dieu contre les lois de la nature ? Ou bien de faits inexpliqués ? De nombreux faits peuvent rester longtemps inexpliqués avant de trouver un jour une explication. Et de nos jours encore, des guérisons sont dites « miraculeuses », c'est-à-dire inexplicables en l'état actuel de nos connaissances, mais je suis convaincu qu'on en comprendra un jour la cause naturelle. On connaît encore mal l'esprit humain et ses capacités d'action sur la matière. Notre cerveau est un continent encore très largement inexploré et le lien entre la matière et l'esprit ne cesse de se révéler à nous, montrant notamment que nombre de maladies ont des causes psychiques et peuvent aussi guérir par la force de l'esprit. Quand Jésus affirme que c'est la foi qui produit des miracles (Matthieu 17, 20), il ne dit pas autre chose. Et lorsque ses interlocuteurs n'ont pas la foi, les Évangiles nous disent que Jésus ne peut faire de guérisons. Cela n'explique pas tous les miracles opérés par Jésus, mais je ne suis pas gêné par ces gestes extraordinaires qui ponctuent les récits évangéliques.

MD – Jésus avait-il besoin de se faire de la « publicité » par ses prodiges ? Son message seul ne suffisait-il pas ?

FL – Ses prodiges sont nécessaires pour trois raisons, je crois. D'abord pour attirer les foules et les convaincre par ces signes qu'il est envoyé par Dieu. Tout en le faisant, Jésus se plaint d'ailleurs de « cette génération qui demande des signes » (Marc 8, 11). Je pense aussi qu'il a pitié des malades qu'il croise et qui le supplient de les guérir. Les théologiens chrétiens tiennent à souligner qu'en soulageant la misère physique Jésus donne aussi un signe matériel de quelque chose de plus profond : il est venu pour guérir les âmes. J'ai enfin une interprétation plus personnelle selon laquelle si ces signes étaient totalement absents des Évangiles, ceux-ci perdraient leur principal ressort dramatique : comment se fait-il que cet homme qui accomplit tant de signes montrant que Dieu est avec lui n'utilise pas sa puissance pour se sauver lui-même ? Les miracles de Jésus, qui encore une fois n'en sont peut-être pas, ont donc un rôle crucial dans le message qu'il entend délivrer : montrer qu'il est un homme aux pouvoirs extraordinaires (donc divins, pour ses disciples), mais qu'il renonce volontairement à ses pouvoirs au moment de sa mort pour manifester que Dieu est amour et que l'amour se manifeste par la *non-puissance*. La pauvreté, l'humilité, l'abandon, l'esprit de pardon de Jésus lors de sa passion sont des signes qui manifestent ce que Jésus est venu dire de plus important : Dieu est amour. Que Jésus dise sur la croix : « Père, pardonne-leur, car ils ne savent pas ce qu'ils font » est infiniment plus bouleversant que si la foudre avait décimé les soldats romains et que Jésus était descendu de sa croix tel un superhéros triomphant. Or ce qui est frappant si l'on suit les récits évangéliques, c'est qu'il aurait pu le faire au regard des pouvoirs extraordinaires qu'il a. Les Évangiles montrent ainsi quelque chose de capital, qui a totalement bouleversé les disciples : Jésus inverse la notion messianique traditionnelle et par là même la conception que l'on avait jusqu'alors de Dieu.

MD – Pourquoi est-ce une révolution ?

FL – Le Dieu biblique apparaît bien souvent comme un Dieu tout-puissant, omnipotent, qui peut intervenir comme il veut dans la vie des humains. Et les textes bibliques interprètent les épreuves individuelles ou collectives des juifs comme des punitions envoyées ou permises par Dieu à cause des péchés commis. Autrement dit, on trouve une explication au mal à travers la culpabilité : on mérite telle épreuve car on a péché. Le Messie attendu est un être aux pouvoirs exceptionnels qui manifestera la puissance divine et libérera Israël de ses ennemis. En même temps, selon certains prophètes, il fera d'Israël une lumière pour toutes les nations et instaurera sur terre une royauté divine. Du temps de Jésus, on attend avec impatience ce Messie libérateur, car cela fait plusieurs siècles qu'Israël est occupé par des armées étrangères : babyloniennes, perses, grecques et romaines. Quand ils voient la puissance de Jésus à travers ses miracles, ses disciples croient tous qu'il est le Messie annoncé, le libérateur d'Israël. C'est pourquoi on accole à son nom celui de « Christ » qui signifie « Messie » en grec. Mais Jésus commence à les déstabiliser en leur montrant qu'il est venu inverser les valeurs traditionnelles des sociétés humaines fondées sur le pouvoir : « Les premiers seront les derniers » (Matthieu 20, 16) ; « Je ne suis pas venu pour être servi, mais pour servir » (Matthieu 10, 44), etc., et il affirme cette chose stupéfiante qu'il va monter à Jérusalem pour y mourir. Ce à quoi Pierre, le chef désigné des apôtres, répond que cela n'arrivera jamais, et Jésus lui réplique : « Passe derrière moi, Satan, car tes pensées ne sont pas celles de Dieu, mais celles des hommes » (Matthieu, 16, 23).

Bref les apôtres ne peuvent pas imaginer que Jésus va se laisser faire et qu'il va accepter de mourir crucifié comme un vulgaire bandit alors que Dieu est de toute évidence avec lui ; dans leur esprit, une telle fin signifierait qu'il est rejeté par Dieu, qu'il n'est pas le Messie attendu, qu'il a péché et qu'il est puni par le Tout-Puissant. Or Jésus entend montrer à ses disciples que la figure du Messie qu'ils attendent n'est pas juste, car l'image qu'ils ont de Dieu n'est pas correcte. Ils attendent un Messie qui libérera Israël du joug des Romains pour instaurer une sorte de théocratie mondiale, alors que Jésus est un Messie venu libérer l'homme du mal qui le ronge intérieurement et lui révéler que Dieu est amour. Ses disciples attendent un royaume terrestre, Jésus leur propose un royaume céleste, c'est-à-dire intérieur. Ils attendent un Messie politique, Jésus est un Messie spirituel qui sépare radicalement le politique du religieux : « Mon royaume n'est pas de ce monde » (Jean 18, 36) ; « Rendez à César ce qui est à César et à Dieu ce qui est à Dieu » (Matthieu 22, 21). Ils croient en un Dieu dont la toute-puissance se manifeste dans le monde. Jésus leur annonce un Dieu dont l'amour est tel qu'il lui interdit de manifester sa puissance pour respecter la liberté humaine. Je pense d'ailleurs que ce décalage est la raison principale non seulement de la fuite des apôtres lors de l'arrestation de Jésus et du reniement de Pierre, mais aussi de la trahison de Judas qui est un zélote, un militant politique très actif en faveur de la libération d'Israël. Il ne supporte plus cette attitude de Jésus qui refuse d'utiliser sa puissance au service d'une cause politique et le livre aux grands prêtres comme une sorte de provocation, en espérant secrètement que Jésus réagira enfin. Mais il n'en est rien puisque Jésus ordonne à Pierre, qui veut le défendre, de ranger son glaive et il se laisse arrêter sans combattre. Judas se suicidera de désespoir, sans doute parce qu'il aimait Jésus et qu'il n'a jamais cru qu'il puisse ainsi se laisser mourir au lieu d'apporter la délivrance de son peuple.

MD – C'est ce que vous avez écrit dans votre livre *Socrate, Jésus, Bouddha* : à l'instar du sage indien et du philosophe grec, Jésus entend apporter une libération intérieure à tout être humain, mais qui passe pour lui par le lien avec un Dieu d'amour.

FL – Tous trois font le même constat que l'être humain est esclave de l'ignorance et de nombreux vices qui en découlent souvent : convoitise, orgueil, jalousie, concupiscence, etc. Tandis que le Bouddha prône la libération par l'expérience intérieure à travers une quête introspective de sagesse et Socrate par la connaissance de soi à travers l'usage de la raison, Jésus prône la prière et la relation à Dieu comme source de libération. Il veut reconnecter l'être humain à sa source divine. Mais à la suite de certains prophètes bibliques, il commence par rééduquer le regard que ses disciples portent sur Dieu, en leur montrant que sa toute-puissance est comme enchaînée par son amour et son respect absolu de la liberté de toutes ses créatures. Du coup, il ne faut plus lire les événements humains comme des récompenses ou des punitions divines. Dieu prend soin intérieurement de l'homme par sa grâce, plus qu'il ne protège le juste de toute épreuve ou punit le pécheur pour ses fautes en lui envoyant des épreuves. De même, il n'intervient pas dans les affaires du monde.

MD – Cette question théologique est d'une grande actualité. Combien de croyants voire de non-croyants se sont demandé comment croire en Dieu après Auschwitz...

FL – On ne peut plus croire à la conception d'un certain Dieu biblique qui ne cesse d'intervenir dans les affaires des hommes. D'ailleurs, cette image-là est déjà écornée dans la Bible hébraïque par certains textes, comme le remarquable livre de Job, qui pose avec acuité la question du mal et notamment du mal qui frappe le juste. Elle est définitivement battue en brèche par la vision que Jésus donne de Dieu : un Dieu qui parle dans la profondeur du cœur de l'homme, mais qui reste silencieux dans le brouhaha du monde, un Dieu qui s'efface et refuse d'exercer sa puissance pour ne pas contraindre les hommes à croire en lui.

MD – C'est pourquoi certains ont perdu la foi, comme Élie Wiesel, et d'autres, au contraire, ont été renforcés dans celle-ci, comme Etty Hillesum.

FL – Il existe en effet depuis la Seconde Guerre mondiale tout un courant théologique juif et chrétien, né avec des voix comme celles de Simone Weil, Etty Hillesum ou Dietrich Bonhoeffer, qui tente de revenir à une conception d'un Dieu effacé, non puissant, caché et ineffable que les dérives de l'Église au fil des siècles ont fait oublier. De même, depuis le concile Vatican II, l'Église s'est enfin prononcée en faveur de la laïcité et de la liberté de croyance, tournant ainsi le dos à quinze siècles de confusion des pouvoirs et de violation des consciences, à travers la pratique de l'Inquisition notamment.

MD – Comment expliquer cette dérive, compte tenu du message des Évangiles ?

FL – L'événement décisif a été la conversion de l'Empire romain au christianisme au cours du IVe siècle. En moins d'un siècle, de Constantin, qui arrête en 313 les persécutions contre les chrétiens, à Théodose, qui fait en 391 du christianisme la religion d'État de l'Empire, les chrétiens passent d'une petite minorité héroïque et le plus souvent persécutée à une majorité qui peut et veut imposer sa religion à tous. Il s'ensuit une grave dérive de la foi chrétienne. Les pouvoirs spirituel et temporel sont confondus, la notion d'un Dieu tout-puissant, protecteur d'une Église triomphante, est introduite. Et il en va de même en théologie où la conception d'un Dieu qui protège ses fidèles et punit les pécheurs va se développer pour aboutir aux Temps modernes à cette conception, qu'ont connue nos grands-parents, du « bon Dieu » distribuant les bons points aux enfants sages et du « Père fouettard » punissant ceux qui désobéissent à leurs parents ou aux lois de l'Église. Tout cela est aux antipodes du message des Évangiles. Et lorsqu'on entend encore parfois certains clercs dire, par exemple, que le sida est une punition divine, c'est une hérésie au regard du message de Jésus et du visage de Dieu qu'il entend révéler.

MD – La question de l'identité de Jésus est très complexe. Vous l'abordez dans votre livre *Comment Jésus est devenu Dieu* : comment peut-il être à la fois homme et Dieu, comme l'affirme le dogme chrétien ?

FL – On a vu que les Évangiles sont des récits de croyants qui expriment la foi des premiers disciples du Christ. Sur cette question cruciale de l'identité de Jésus, ils ne tiennent pas tous le même discours, car ils ont été écrits à des périodes et dans des contextes différents. Plus ils sont proches de l'événement, plus ils insistent sur le caractère humain de Jésus ; plus ils sont tardifs, plus ils mettent en avant son caractère divin, ce qui montre que la foi en Jésus comme incarnation de Dieu est un processus qui s'est fait en l'espace de quelques décennies. Les trois Évangiles les plus proches de la mort de Jésus, ceux de Marc, de Matthieu et de Luc – que l'on appelle les « Évangiles synoptiques » car ils suivent la même trame narrative et on peut donc les disposer en synopses, c'est-à-dire en colonnes parallèles –, ont été rédigés entre 50 et 80. Ils montrent que Jésus est le Messie, le Fils de Dieu. Jésus est un homme, même si sa naissance est présentée comme miraculeuse par Matthieu et Luc, puisque sa mère, Marie, est une jeune femme vierge fécondée par l'Esprit Saint. Par ailleurs, l'événement de la résurrection, attesté par les quatre Évangiles, est censé révéler le caractère exceptionnel de l'identité de Jésus, le « premier-né d'entre les morts », et son statut de sauveur du monde. C'est donc un être humain qui entretient une relation d'intimité unique avec Dieu et dont la vie, de la naissance à la mort, est émaillée d'interventions divines exceptionnelles, témoignant que Jésus est bien le Christ, l'élu que Dieu a choisi pour se révéler pleinement et sauver le genre humain en lui apportant la vie éternelle. Lorsqu'il parle de lui-même, Jésus se présente comme le « Fils de l'Homme », titre messianique tiré du livre de Daniel, mais jamais il ne s'identifie à Dieu. Il montre au contraire toujours le décalage, la hiérarchie entre lui et Dieu qu'il appelle son « Père » (*Abba*). Le quatrième Évangile, attribué à Jean, date de la fin du Ier siècle. Sa narration est très différente et s'ouvre sur un prologue somptueux affirmant d'emblée la divinité de Jésus qui serait l'incarnation de la parole divine (le *Logos*). Dans cet Évangile, Jésus tient cette fois des paroles qui confirment sa divinité : « Moi et le Père nous sommes un » (Jean 10, 30) ou encore : « Avant qu'Abraham fut, Je suis » (Jean 8, 58). Il est intéressant de noter que l'Évangile de Jean a été écrit à

Éphèse, où le philosophe Héraclite inventa le concept de Logos, la raison divine qui gouverne le monde et à laquelle chaque homme participe. Contrairement aux trois autres évangélistes, Jean écrit une fois la rupture entre juifs et chrétiens définitivement consommée. Il peut évoquer la divinité de Jésus qui aurait été inaudible pour un public juif. Il rédige directement en grec, pour des hommes de culture hellénique, et il affirme clairement que Jésus est l'incarnation du Logos divin, ce qui revient à le diviniser. Avant lui, Paul avait déjà eu certaines expressions qui tendaient vers cette idée, sans jamais la formuler aussi nettement : « Jésus est l'image du Dieu invisible, le premier-né de toute la création » (Colossiens 1,15). De l'idée que Jésus est « semblable à Dieu » (Paul) ou bien « Fils de Dieu » (les trois Évangiles synoptiques), on passe à l'idée qu'il est Dieu fait homme.

Mais alors comment Jésus peut-il être à la fois homme et Dieu ? Et comment Dieu peut-il rester le Dieu unique du judaïsme s'il est composé de plusieurs personnes ? Les chrétiens vont tenter de résoudre ces paradoxes pendant les IIe, IIIe et IVe siècles au cours desquels les controverses théologiques se multiplient sur l'identité de Jésus. Pour certains, c'est un homme adopté par Dieu au début de sa prédication, ce qui le divinise (adoptianisme). Pour d'autres au contraire, il est Dieu qui a pris l'apparence d'un être humain (docétisme). Mais la majorité des évêques tentent de trouver une définition qui préserve à la fois le caractère humain et divin de Jésus. Naît ainsi progressivement la théorie trinitaire : il existe un Dieu unique en trois personnes divines : le Père, le Fils et l'Esprit. Le Fils va s'incarner en Jésus. Celui-ci a donc une double nature, humaine et divine. Il est à la fois pleinement homme et pleinement Dieu. Cette conception devient progressivement celle d'une majorité de chrétiens et s'impose comme un dogme au concile de Nicée, convoqué par l'empereur Constantin en 325.

MD – Comment expliquer qu'un empereur convoque un concile et soit à l'origine du dogme chrétien ?

FL – Constantin en a assez des querelles incessantes des chrétiens sur cette question, notamment autour de la théorie très populaire d'un simple prêtre d'Alexandrie, Arius, qui minimise le caractère divin de Jésus en en faisant un dieu en second, inférieur au Père. Comme il souhaite s'appuyer sur les chrétiens pour asseoir la cohésion morale de l'empire, il a besoin qu'ils soient unis. Il les laisse libres de se mettre d'accord sur une définition, mais leur ordonne d'y parvenir ! Une majorité condamne la thèse arienne et affine la définition trinitaire. Constantin prend acte de la décision conciliaire, exile Arius et ses ultimes partisans, et impose dans tout l'Empire le credo issu du concile. Même si l'empereur n'est pas intervenu directement dans les débats, il a joué un rôle crucial dans la naissance du dogme chrétien en imposant une orthodoxie, y compris par des moyens de répression physique. C'est cette alliance entre la religion et le pouvoir politique qui va à la fois favoriser de manière incroyable l'essor du christianisme... et le pervertir en profondeur. D'une religion persécutée, le christianisme va devenir une religion persécutrice : contre les juifs, contre les païens de l'Empire, contre les hérétiques, contre les infidèles des autres religions, etc. Les préceptes de laïcité et de non-violence de son fondateur seront toujours enseignés, mais de moins en moins appliqués par une institution davantage soucieuse de son essor et de sa puissance.

MD – Comment Dieu peut-il être à la fois un et trois ?

FL – Comme disent les défenseurs du dogme chrétien, c'est un « mystère » ! Autrement dit, une vérité de foi totalement inexplicable par la raison. Dieu étant déjà un mystère, on ajoute du mystère au mystère et cela devient en effet assez compliqué. L'idée d'un Dieu un et trois est née du souci de résoudre plusieurs paradoxes du Nouveau Testament. Jésus y apparaît comme un homme mais, nous l'avons vu, Paul, et surtout Jean, semblent affirmer aussi son caractère divin. Par ailleurs Jésus parle de Dieu comme de son Père et évoque la figure de l'Esprit Saint qu'il enverra à ses disciples après son départ. La théologie trinitaire tente de combiner tous ces paramètres. Si elle a l'inconvénient de rendre complexe l'idée si forte d'unicité divine, elle a aussi la force de dire que l'amour est intrinsèque à l'essence de Dieu à travers la relation entre les différentes personnes divines. Pourtant je ne suis pas sûr que la majorité des fidèles, aujourd'hui comme hier, la comprennent bien et y adhèrent vraiment.

MD – Mais si on remet en question le credo trinitaire sur lequel s'accordent presque toutes les confessions chrétiennes – les catholiques, les protestants, les orthodoxes –, n'est-ce pas tout l'édifice de la foi chrétienne qui s'effondre ?

FL – L'édifice dogmatique certainement, pas celui de la foi. La foi des apôtres, qui sert de modèle aux chrétiens de tous les lieux et de toutes les époques, n'est pas trinitaire. Quand ils confessent leur foi en Jésus, Messie et fils de Dieu, Pierre, Jacques ou Matthieu n'ont aucune conscience de la Trinité. Leur foi repose sur la conviction que Jésus est un homme qui a un lien unique et particulier avec Dieu. Après sa mort, ils croient tous en sa résurrection, et leur foi s'approfondit, mais pas au point de considérer Jésus comme Dieu. Il faudra attendre plusieurs décennies pour que cette idée s'impose. Ce qui ne signifie pas pour autant qu'elle soit fausse. Je ne discute en rien de la véracité du dogme chrétien, je constate simplement qu'il est le fruit d'un processus, d'une maturation. Et qu'il me semble difficile d'affirmer que la foi des disciples contemporains de Jésus est imparfaite parce qu'elle n'est pas trinitaire.

5

Expérience du divin et quête d'immortalité

MARIE DRUCKER – Dans votre *Petit traité d'histoire des religions*, vous expliquez que le monde connaît au Ve siècle avant notre ère une période d'une intensité spirituelle incroyable où la religiosité bascule pour aller vers une plus grande individualisation et intériorisation. C'est ce que le philosophe Karl Jaspers appelle, dans son ouvrage *Origine et sens de l'histoire* (1950), la « période axiale de l'humanité ». De quoi s'agit-il précisément ?

FRÉDÉRIC LENOIR – Jaspers pointe brièvement un fait étonnant. Vers le milieu du Ier millénaire avant notre ère, une révolution profonde du sentiment religieux touche toutes les civilisations connues. À peu près au même moment apparaissent dans toutes les aires de civilisation des personnages qui auront pour point commun de renouveler totalement la pensée religieuse de l'humanité, et cela peu ou prou selon les mêmes orientations : Lao Tseu et Confucius en Chine, Mahavira (le fondateur du jaïnisme) et le Bouddha en Inde, Pythagore et les grands philosophes présocratiques en Grèce, Zoroastre en Perse, les grands prophètes en Israël... Ils viennent répondre au besoin de sens des individus. Alors que le monde antique était jusque-là dominé par le poids du collectif, on voit émerger à cette période l'idée de l'individu, de ses besoins, de ses droits et de ses aspirations spirituelles. L'individu se pose de plus en plus de questions sur lui-même. Il s'intéresse à la question du sens de sa vie : « Pourquoi suis-je sur terre ? Comment bien vivre ? Comment être heureux ? » Avec le développement des cités et du confort matériel se pose désormais la question du bonheur individuel.

MD – C'est-à-dire qu'à ce moment-là, le bonheur collectif ne suffit plus ?

FL – Je dirais la sécurité collective, cette certitude du groupe d'avoir à manger pour tout le monde, de pouvoir faire face à une épidémie, de ne pas être envahi par des armées adverses : voilà les préoccupations essentielles de l'homme antique ! Dès que les hommes acquièrent un minimum de subsistance et de sécurité, ils commencent à se poser d'autres questions et l'individu émerge du groupe.

MD – L'individualisme naît donc dans des sociétés déjà développées ?

FL – En tout cas, dans des sociétés où l'individu jouit d'un minimum de sécurité matérielle et où l'homme a un peu de temps pour réfléchir, où il ne passe pas tout son temps à lutter pour sa survie. En même temps que l'émergence d'une conscience individuelle et d'un souci de soi va se développer la recherche du bonheur sur terre et dans l'au-delà, avec la question du devenir de l'âme après la mort. On le voit très bien en Égypte où la pratique de l'embaumement, jusqu'alors réservée au pharaon, puis aux principaux membres de son palais, va se démocratiser tout au long du Ier millénaire avant notre ère. Tous ceux qui en ont la possibilité matérielle se préoccupent de leur vie posthume. De même, la pratique de l'astrologie et des arts divinatoires, consacrée au souverain, se diffuse désormais dans tout le bassin méditerranéen ainsi qu'en Inde et en Chine, pour finir par toucher, à l'aube de notre ère, toutes les couches de la population. Chacun s'intéresse à son destin personnel. Le même phénomène touche la religion. On ne se satisfait plus de grands rituels collectifs, comme on l'a vu dans les premiers chapitres de ce livre, où le grand prêtre intercède pour le peuple auprès des dieux ; chacun aspire désormais à vivre une expérience personnelle du divin. C'est ainsi que se développent en Grèce les cultes à mystères, ces expériences initiatiques où l'initié a accès à une rencontre personnelle et émotionnelle avec la divinité. Mais aussi la philosophie – littéralement l'« amour de la sagesse » – qui se préoccupe non seulement de connaître rationnellement le monde, mais aussi et surtout de savoir comment chacun peut mener une vie bonne, heureuse et vertueuse. Il est d'ailleurs fréquent que les philosophes aient eux aussi été des adeptes des cultes à mystères. Ainsi de Platon, Cicéron ou l'empereur Hadrien avec les mystères d'Éleusis, ce culte initiatique qui s'apparente à la transe chamanique. On ne veut plus seulement *faire le sacré* (sacrifice), on veut l'*éprouver*.

Il en va de même en Inde où l'ancienne religion védique et les sacrifices des brahmanes, ces prêtres de la caste supérieure, sont remis en cause par des ascètes errants qui sont en quête du salut. C'est ainsi que naît la quête du Bouddha, qui s'interroge sur le moyen d'obtenir un bonheur véritable et durable. Il ébranle le système des castes en affirmant que tout être humain, quel que soit son statut social, peut accéder à la délivrance par une pratique spirituelle appropriée. Par son expérience personnelle, il accède à l'Éveil, c'est-à-dire un état de libération totale et de pleine connaissance de la vérité. Il n'est plus enchaîné par les liens de l'ignorance et de l'attachement et peut échapper au cycle des réincarnations. Même préoccupation en Chine, où naissent le taoïsme et le confucianisme qui, sans toutefois remettre en cause la soumission de l'individu au groupe, insistent sur le bonheur individuel et contribuent au développement d'une morale et d'une sagesse personnelles.

Le zoroastrisme que nous avons évoqué est parfaitement emblématique de l'essor d'une religion éthique et d'une relation personnelle et aimante avec Dieu : « Ô Mazda, je suis conscient de mes faiblesses, ma richesse est infime et mes compagnons peu nombreux. Alors j'avance vers Toi : regarde-moi bien, donne-moi l'amour qu'un amoureux, dans le rayonnement de la Justesse, offre à sa bien-aimée et enrichis-moi de la Pensée juste », s'écrie Zoroastre (Gathas, 11, 2). On trouve le même phénomène dans le judaïsme où se développe, au-delà de la Torah, toute une littérature de sagesse (Job, les Psaumes, Qohelet) qui traduit un questionnement spirituel personnel aigu et un désir de rapprochement affectif entre l'homme et Dieu. Même chose chez les prophètes tardifs qui montrent le visage d'un Dieu plus aimant, compatissant, proche du cœur de ses fidèles.

MD – Il y a donc à la fois une individualisation du sentiment religieux et une dimension affective plus présente : Dieu ou les dieux sont plus proches des hommes et l'amour prend finalement plus de place que la loi...

FL – Les deux vont de pair. On assiste à un désir d'expérimentation du divin qui s'accompagne d'un rapprochement de l'humain et du divin. On le perçoit très nettement dans le judaïsme où la notion d'un Dieu miséricordieux et proche du cœur de ses fidèles se développe fortement dans les textes les plus tardifs pour aboutir au message de Jésus : le nécessaire dépassement de la Loi par l'amour. C'est à cette époque que la notion de « bonté divine » s'universalise, car les hommes et les femmes qui font cette expérience initiatique affirment ressentir la bonté de Dieu, ou des dieux, au plus intime de leur être. Dieu parle au cœur de tous les fidèles. Dieu n'est plus simplement au ciel, il est en moi. Il peut être transcendant, il n'a pas besoin de moi pour exister, en même temps c'est en moi que je le rencontre. C'est ce que l'on appelle l'« immanence divine ».

MD – Dieu a donc deux dimensions : la transcendance et l'immanence ?

FL – Oui. La dimension transcendante exprime sa radicale altérité. Il est le « Tout Autre », celui dont je ne peux rien dire, radicalement différent de moi et qui existait avant que j'existe, puisqu'il m'a créé. La dimension immanente induit que Dieu ou le divin est présent à l'intérieur de moi, à l'intérieur de mon cœur, mais aussi à l'intérieur du monde.

MD – Comme dans le panthéisme, où Dieu se confond avec le monde ?

FL – Non. Le panthéisme supprime la transcendance et exprime une immanence radicale. Dieu n'existe pas en dehors du monde et il ne l'a pas créé. Dieu est partout. Dans les plantes, dans les arbres, en nous... C'est un divin impersonnel qui se confond avec la nature. Les religions monothéistes rejettent cette conception d'un divin totalement immanent et tentent de maintenir un équilibre entre transcendance et immanence. Dieu est vraiment le « Tout Autre » qu'on adore, que l'on vénère et que l'on craint. Mais en même temps il est présent en toutes choses et se rencontre dans le cœur de l'être humain.

MD – Toutes les religions considèrent-elles qu'il y a du divin en l'homme ?

FL – Elles considèrent qu'il y a en l'homme une part immatérielle que l'on appelle l'« âme », l'« esprit », le *noos*, le *pneuma*, le « souffle », le *bâ*, etc. Quel que soit le nom que l'on donne à ce principe immatériel, cela signifie qu'il n'y a pas que ce corps visible, sensible, il y a aussi dans l'être humain une part invisible, immatérielle, que l'on peut ressentir en faisant une expérience intérieure de la beauté, de l'amour, de la joie... Et pour nombre de religions, ce principe immatériel est d'origine divine. La plupart des philosophes grecs étaient convaincus que cette part divine était la plus importante de notre être et que c'est elle qu'il convenait avant tout de cultiver pour être heureux. Socrate, par exemple, explique à ses disciples avant de mourir qu'il a cherché toute sa vie à cultiver son âme pour la rendre noble et qu'il espère qu'elle rejoindra après sa mort la compagnie des dieux. L'âme, donc, vient de Dieu ou du divin et y retourne après la mort. Et cette théorie, qui se développe un peu partout à partir du VIe siècle avant notre ère, est toujours au fondement même des religions.

MD – Le terme d'« âme » s'est sécularisé. La notion est aujourd'hui synonyme d'épaisseur, d'intériorité et elle est désormais indépendante de la religion.

FL – Le mot « âme » a de nos jours une pluralité de sens. Quand on dit de quelqu'un qu'il « manque d'âme », c'est que l'on sent qu'il manque d'intériorité, de profondeur, voire d'amour. Tout cela est tangible chez quelqu'un qualifié à l'inverse de « belle âme ». Quand Bergson dit : « Il faudrait à l'humanité un supplément d'âme », cela signifie un supplément de conscience, d'intériorité, de profondeur, de compassion. Les traditions religieuses vont plus loin et relient cette intériorité au divin, c'est-à-dire à une force ou un être qui nous englobe ou nous dépasse. Maintenant, selon qu'elles se situent dans une perspective plutôt transcendante ou immanente, les spiritualités parlent de l'âme comme d'une réalité créée par Dieu ou comme de la partie d'un tout. Dans les deux cas, l'âme rejoint sa source après la mort du corps physique : elle s'unit à Dieu pour les monothéismes ; elle se fond dans le tout pour les courants de sagesse plus immanents.

Avec la période axiale, on peut alors vraiment parler de spiritualité. Comme nous l'avons vu, la religion *relie*, elle rassemble les êtres humains à travers une croyance collective dans un invisible qui les dépasse. Cependant je dirais, à l'inverse, que la spiritualité, la quête personnelle de l'esprit, *délie*, elle libère l'individu de tout ce qui l'attache et l'enferme dans des vues erronées (ignorance, a-priori, préjugés, etc.), mais aussi du groupe. Elle le libère du poids de la tradition, du collectif, pour aller vers lui-même, vers sa vérité intérieure. Puis, si la spiritualité commence par délier un individu, elle a pour but ultime de le relier de manière juste aux autres. Autrement dit, la spiritualité délie pour mieux relier, elle libère l'individu pour lui apprendre à aimer. Une spiritualité qui débouche sur l'indifférence ou sur le mépris des autres n'a rien d'authentique, c'est une névrose qui a le spirituel pour alibi.

MD – Quel objectif poursuivent tous ces courants de sagesse et de spiritualité qui naissent au cours du Ier millénaire avant notre ère ?

FL – Un objectif commun : permettre à l'individu d'être pleinement lui-même en développant la part divine ou transcendante qui est en lui. De ce fait, l'individu se libère de l'ignorance et s'émancipe en grande partie des rituels et des croyances collectifs pour avoir un accès direct au divin ou à l'Absolu. Par le biais de la raison, de l'expérience intérieure, de la prière, de la méditation, il cherche la vérité. Cette quête intérieure et personnelle le met souvent en porte-à-faux avec les traditions religieuses qui privilégient l'intérêt du groupe, du peuple, de la tribu, de la cité. Ainsi le Bouddha s'attire-t-il la haine des brahmanes dont il dénonce l'inutilité des rites sacrificiels ; Socrate est condamné à mort pour impiété et Jésus pour avoir menacé le pouvoir sacerdotal. Et leurs accusateurs ne s'y sont pas trompés : ces trois personnages ont largement contribué à émanciper l'individu de la religion dominante.

MD – De quelle manière ?

FL – D'abord en le mettant dans une relation directe avec Dieu, l'Absolu ou le principe divin. Par la prière

(Jésus), la philosophie (Socrate) ou la méditation (le Bouddha), l'homme peut faire son salut sans passer par les rites sacrificiels prônés par la tradition. Ensuite, leur enseignement fait éclater le caractère aristocratique des sociétés traditionnelles. Pour eux, il n'y a pas de différence fondamentale entre les êtres humains : tous, riches ou pauvres, esclaves ou hommes libres, hommes ou femmes, peuvent accéder à la délivrance ou au salut. Il n'y a plus de hiérarchie, de caste, de peuple élu. Tous les êtres humains sont égaux parce qu'ils possèdent tous une âme immortelle leur permettant de mener une vie spirituelle qui les rend libres. La noblesse de l'âme compte dès lors plus que la noblesse de naissance. La spiritualité est radicalement démocratique. Elle conteste alors toute institution religieuse qui affirme que le salut passe par la loi ou les rituels collectifs imposés par une caste privilégiée : celle des prêtres. Même s'ils naissent et se développent bien souvent au sein des traditions religieuses, les courants spirituels apportent une forte contestation de ces traditions, allant parfois jusqu'à créer des schismes, comme le bouddhisme par rapport à l'hindouisme, le christianisme par rapport au judaïsme ou, au sein même du christianisme, le protestantisme par rapport au catholicisme. Car le christianisme a vite dévié de sa contestation initiale du légalisme religieux pour recréer un légalisme et un cléricalisme tout aussi pesants que ceux dénoncés par Jésus. D'où une série de réformes successives, dont celle de Luther, au XVIe siècle, qui entend s'émanciper du pouvoir des clercs et de la papauté pour revenir aux principes fondamentaux de l'Évangile : la pauvreté, la relation directe avec Dieu, l'égalité de tous. Mais bien avant Luther, les ordres religieux et les courants mystiques ont permis à de nombreux chrétiens de s'émanciper, par l'intériorité, du poids trop lourd de l'institution.

MD – Certains de ces courants spirituels ont été assimilés, d'autres, comme les cathares, éradiqués par la force. Comment expliquer une telle différence de traitement ?

FL – Les courants spirituels qui professaient une orthodoxie doctrinale tout en critiquant le pouvoir ou la corruption des clercs ont pu, d'une certaine manière, être assimilés par l'institution et ont souvent contribué à sa réforme interne. C'est le cas des ordres monastiques. On le voit très bien avec Bernard et les cisterciens ou François d'Assise et les franciscains. Mais ceux qui ont dévié du dogme ont été éradiqués par l'Inquisition. C'est le cas des cathares et de nombreux mouvements mystiques, comme celui des béguines, ces femmes adeptes du Libre Esprit.

MD – Luther a aussi remis en cause certains aspects du dogme. Pourquoi n'a-t-il pas lui aussi fini sur le bûcher ?

FL – Parce qu'à son époque l'Église n'en avait presque plus les moyens. Il était protégé par un prince allemand acquis à ses idées qui a refusé de le livrer au pape. La Réforme protestante a très vite gagné de nombreux princes et rois, trop heureux de se libérer ainsi de l'emprise de Rome. La Renaissance, avec la redécouverte de l'humanisme grec, a eu un impact décisif sur la religion chrétienne en la ramenant à ses sources qui sont finalement très proches de cet idéal démocratique et d'autonomie du sujet, de libération de l'individu à l'égard du groupe.

MD – Revenons à la spiritualité, que vous avez définie comme une expérience personnelle du divin. Cela signifie-t-il qu'il n'y a plus besoin d'Église, de clercs, de prêtres, de rabbins, de bonzes ou d'imams pour mener une quête spirituelle ?

FL – Le caractère individuel de la quête ne supprime en rien la nécessité de guides, qu'ils soient morts ou vivants. Mais la figure du guide, c'est-à-dire de celui qui a fait tout ou partie du chemin avant vous, remplace le plus souvent celle de l'institution qui vous dit simplement ce qu'il faut croire et ne pas croire, faire et ne pas faire. Or la plupart des guides se rencontrent au sein même des religions. Ce sont des religieux qui ont une vie intérieure profonde et qui savent transmettre les modalités d'une expérience spirituelle. Ils vont apprendre au disciple comment prier, méditer, échapper aux pièges ou aux illusions de la vie spirituelle. Auparavant, tous les guides spirituels faisaient partie d'une tradition religieuse : moines, lamas, prêtres, kabbalistes, soufis, etc. De nos jours, il existe de plus en plus de maîtres spirituels en marge des traditions ou au carrefour de plusieurs traditions (comme des moines catholiques qui pratiquent la méditation zen). Mais il y a aussi de plus en plus d'illuminés et de charlatans qui utilisent la spiritualité pour exercer un pouvoir sur autrui. Le choix d'un guide demande donc un grand discernement.

MD – Justement, comment discerner un vrai maître d'un « gourou » ?

FL – Je n'aime pas beaucoup la manière dont le mot « gourou » est utilisé en Occident, car en Inde ce mot qui signifie « ami spirituel » n'est en rien péjoratif.

Il a pris la connotation de « charlatan » à cause de quelques gourous indiens dont le mouvement a basculé dans de graves dérives sectaires au cours des années 1970. Pour discerner un vrai maître d'un escroc, il y a au fond deux critères assez simples : l'argent et la dépendance. Le vrai maître ne fait pas de sommes d'argent exorbitantes une condition indispensable au suivi de ses enseignements et il ne cherche pas à créer une dépendance entre lui et ses disciples. Il a au contraire pour but de les rendre autonomes, puisque, encore une fois, c'est le but de la spiritualité. À l'inverse, le charlatan cherche à créer une addiction. Le lien sectaire rend le disciple totalement dépendant au groupe ou à son leader. Et bien souvent il est pris aussi dans un engrenage financier.

Je tiens à préciser que le fait d'appartenir à une grande religion ne préserve pas de la dérive sectaire. Je connais par exemple des lamas tibétains et des prêtres catholiques très charismatiques qui sont de vrais pervers, qui manipulent leurs disciples pour les dominer comme le ferait n'importe quel escroc d'un groupe sectaire. Il y a d'ailleurs des cas récents très connus, comme celui du fondateur du mouvement des Légionnaires du Christ, très proche de Jean-Paul II. Benoît XVI vient de reconnaître son caractère totalement dévoyé après d'innombrables plaintes d'anciens adeptes, notamment pour pédophilie. À l'opposé, il y a des guides spirituels hors des grandes religions qui sont sincères et désintéressés. Je pense par exemple à Krishnamurti. Il ne faut donc pas dire : « Il n'est pas relié à une institution religieuse qui a pignon sur rue, donc c'est un charlatan » ou inversement : « Il est membre d'une institution, c'est un gage d'authenticité », mais toujours discerner au cas par cas à partir de ces critères : probité morale, désintéressement matériel et désir de rendre les disciples autonomes.

MD – Vous êtes quand même en train de dire qu'il vaut mieux faire confiance à des maîtres morts !

FL – Pas nécessairement. C'est une grande chance de rencontrer un guide spirituel authentique, même s'ils sont finalement assez rares. Mais il est vrai que les écrits et l'exemple des grands témoins et sages du passé, lorsqu'ils ont un caractère universel, peuvent aider tout être humain à vivre à n'importe quelle époque. Les enseignements du Bouddha, de Confucius, de Socrate, d'Épictète ou de Jésus, par exemple, n'ont pas pris une ride et répondent toujours avec pertinence aux mêmes questions : qu'est-ce qu'une vie réussie ? Comment aimer ? Qu'est-ce que le vrai bonheur ? Comment être vraiment libre ?

MD – Avec l'individualisation, on a vu se développer au cours du Ier millénaire avant notre ère un sens plus aigu de l'au-delà. L'homme semble se préoccuper non seulement davantage de son bonheur sur terre, mais aussi de son bonheur après la mort.

FL – En effet, et les Égyptiens ont été les premiers à produire une théologie de la vie après la mort, à détailler et baliser le chemin vers l'autre rive, vers l'autre monde, celui qui est habité par les dieux. Autrement dit, à donner aux fidèles les clés d'accès à l'immortalité. La première clé étant la momification du corps : ils considéraient que l'âme ne peut pas survivre à la dissolution de son enveloppe charnelle. Les techniques d'embaumement, d'abord rudimentaires, ont été mises au point par la Ire dynastie pharaonique, trois mille cent ans avant notre ère, et sont devenues de plus en plus complexes avant de se démocratiser au cours du Ier millénaire avant notre ère. La deuxième clé, que l'on retrouve souvent dans les traditions ultérieures, est une feuille de route scrupuleusement établie, un guide de voyage avec les différentes étapes du parcours que l'âme va être amenée à suivre : les obstacles auxquels elle va se heurter et les moyens d'en triompher, les êtres surnaturels qu'elle va rencontrer, les pièges tendus par des divinités cruelles, les questions qui vont lui être posées et la manière d'y répondre, mille petits conseils judicieux pour éviter les embûches ! Un exemplaire de ce guide de voyage, divisé en cent soixante-cinq chapitres, était déposé dans la tombe, à côté du mort, de manière à ce qu'il puisse s'y référer s'il se perdait en cours de route. C'est le fameux *Livre égyptien des morts*. La troisième clé, elle, se conquiert pendant la vie terrestre. Il s'agit de l'ensemble des bonnes actions que chacun est appelé à réaliser, de manière à triompher de l'épreuve de la pesée de l'âme par le dieu Anubis, car l'âme doit être plus légère qu'une plume pour accéder au monde des dieux, contempler Râ, le dieu suprême, et vivre dans la félicité. Les Égyptiens différenciaient le devenir des bons et celui des méchants : les premiers étaient promis à une sorte de paradis, les seconds à la dissolution dans le néant après avoir été dévorés par Ammit la Mangeuse, une redoutable déesse. Les Égyptiens ont aussi introduit la notion de résurrection des corps, même s'ils n'utilisaient pas ce mot. Dans leur théologie, quand l'âme atteignait le monde des dieux, ces derniers lui ouvraient les orifices bouchés pendant la momification pour lui permettre de recommencer à vivre avec ce corps-là, à manger, à s'habiller, à se parfumer, bref à jouir de la vie éternelle, calquée sur la vie terrestre mais... en mieux. Ce qui, pour eux, était impossible sans corps physique.

MD – Les Égyptiens étaient-ils alors les seuls à envisager la vie après la mort ?

FL – Il faut reconnaître que jusqu'à la deuxième moitié du Ier millénaire avant notre ère, les autres civilisations, en tout cas celles qui nous ont laissé des traces écrites, ne déployaient pas une grande imagination pour décrire la vie après la mort. Les civilisations du Moyen-Orient et de l'aire méditerranéenne postulaient une survie éternelle de l'âme, qu'elles envisageaient comme une errance pour l'éternité quelque part sous terre, dans un lieu redoutable et obscur, où cohabitaient les bons et les méchants. Cet au-delà excluait l'idée de justice divine : les dieux n'étaient pas là pour s'occuper des morts mais des vivants et, de manière plus générale, de la bonne marche du cosmos. On retrouve cet au-delà chez les Sumériens ou les Akkadiens. Son archétype est l'Arallou des Babyloniens, dont une description nous est donnée dans l'*Épopée de Gilgamesh*, un texte écrit vingt-cinq siècles avant notre ère, racontant l'histoire de Gilgamesh qui descend dans ce que j'appellerais un enfer pour sauver son ami Enkidu. Il décrit dans le détail cette « demeure » ceinte de sept murs infranchissables, « dont les habitants sont privés de lumière, où la poussière nourrit leur faim, où le pain est d'argile », les supplices auxquels sont soumises les âmes, sans échappatoire possible. Personne n'a envie de se rendre dans un tel lieu, mais personne n'a le choix : telle est la destinée de tous les vivants. Et si ces civilisations multiplient les rituels religieux *post mortem*, c'est d'abord et avant tout pour se prémunir du retour des morts sous forme de fantômes ou de revenants, forcément animés de mauvaises intentions, forcément avides de vengeance.

MD – Pourtant, dans la Bible, il est bien question de jugement divin et de résurrection des morts...

FL – Le judaïsme ne s'intéresse que très tardivement à la vie après la mort. Les textes les plus anciens font état du Shéol, qui est une sorte d'immense tombe située dans les profondeurs de la terre, à peu près comparable à l'Arallou, à la différence que les morts n'y endurent pas de supplices : ils mènent une sorte de semi-existence indéfinissable, dont il n'y a d'ailleurs rien à dire. Dans les Psaumes, le Shéol est appelé « lieu de détresse », « pays de l'oubli » dont même Dieu « n'a plus souvenir », au point que ses habitants sont « retranchés de (sa) main » (88, 6). Après sa guérison, Ézéchiel, le roi de Judée, s'adresse ainsi à Dieu : « Ce n'est pas le Shéol qui te loue, ni la mort qui te célèbre. Ils n'espèrent plus en ta fidélité, ceux qui descendent dans la fosse. Le vivant, le vivant lui seul te loue, comme moi aujourd'hui » (Isaïe 28, 18-19). Cette conception persiste encore au IVe siècle avant notre ère, où des idées commencent à se diffuser dans la société juive, selon lesquelles Dieu saura reconnaître ses fidèles et les rétribuer, d'une manière ou d'une autre, après la mort.

MD – Quel élément déclencheur va entraîner le judaïsme à s'intéresser à la question du destin *post mortem* de l'individu ?

FL – Probablement sa rencontre avec le zoroastrisme. À l'opposé des autres religions qui existent à cette époque, le zoroastrisme développe une vision de l'au-delà particulièrement poussée, fondée sur la théorie du salut de l'âme et du jugement dernier. De ce fait, il scinde l'au-delà en deux, un enfer et un paradis, et inclut dans sa théologie un élément inédit, la possibilité d'une purification *post mortem*, ce que le christianisme appellera bien plus tard le « purgatoire ». Les textes zoroastriens les plus anciens décrivent avec une foule de détails les étapes du jugement individuel des âmes. Pendant les trois jours qui suivent le décès, précisent-ils, l'âme se souvient de toutes ses actions passées, les bonnes et les mauvaises, et comparaît alors devant trois juges, Mihr, Rashu et Srosh, qui pèsent toutes ces actions sur une balance en or et lui font traverser un pont qui va en rétrécissant. Les âmes les plus lourdes ne peuvent guère avancer, elles trébuchent et tombent dans un ravin dont la puanteur et l'obscurité diminuent au fur et à mesure que l'on avance. À mi-chemin se trouve une zone neutre, la « maison des poids égaux », puis s'ouvre une succession de zones de plus en plus agréables. Les âmes les plus accomplies, celles qui franchissent le pont sans tomber, accèdent au royaume d'Ahura Mazda, le Dieu unique, et vivent dans sa lumière éternelle. Quant aux autres, elles se purifient avec le temps pour se préparer au jugement final : à la fin des temps, Dieu ressuscitera tous les êtres humains pour les juger. Cette idée tout à fait novatrice du jugement dernier préfigure celle qui va être développée par le judaïsme, plus encore par le christianisme, et sera reprise par l'islam.

Les premiers chrétiens croyaient à l'imminence de la fin du monde où Jésus reviendrait juger les vivants et les morts (la parousie). Mais ce n'est qu'à partir du IVe siècle, quand l'Église cesse d'être persécutée et qu'on commence à se dire que la fin du monde se fait attendre, que les chrétiens s'intéressent de plus près aux spéculations sur le devenir des âmes après la mort. Ils déploient alors des trésors d'imagination en la matière ! Des théologiens comme Ambroise ou Grégoire de Nysse lui consacrent des sommes. Au VIe siècle, le pape Grégoire le Grand établit même une cartographie de l'au-delà, avec un paradis des justes installé au ciel, près de Dieu, un enfer souterrain, et un lieu de purification transitoire, que l'on appellera au XIIe siècle le « purgatoire ». La fin du monde n'étant plus perçue comme imminente, on cherche à comprendre ce qui attend le défunt après sa mort. Se développe ainsi l'idée du jugement particulier. En fonction de sa foi et de ses actions bonnes ou mauvaises, le défunt va sitôt après la mort soit au paradis (vision béatifique de Dieu), soit dans un enfer provisoire, soit dans un lieu de purgation qui le conduira un jour au paradis. Mais l'idée demeure que ce n'est qu'à la fin des temps, lorsque le Christ viendra juger tous les êtres humains, que se feront la résurrection des corps et le partage définitif entre la vie éternelle bienheureuse pour les uns et l'enfer éternel pour les autres.

MD – Pourtant, nulle trace du paradis dans les textes sacrés.

FL – Ni la Bible ni les Évangiles en effet ne décrivent ce paradis. Il est simplement fait mention du « royaume de Dieu » où les justes vivent dans un bonheur éternel. Le Coran, en revanche, consacre de très nombreux versets à ce jardin somptueux, arrosé de torrents de lait et de miel, meublé de lits en vis-à-vis où reposent des vierges aux grands yeux noirs, et de tapis de brocart : une oasis luxuriante où les croyants jouissent, en outre, de la vision divine.

MD – Les trois monothéismes parlent aussi de l'enfer...

FL – Beaucoup plus que du paradis, décrivant avec force détails les horreurs qui attendent les « méchants » après leur mort ! La Bible ne décrit pas l'enfer, mais des commentaires talmudiques le divisent en sept strates de plus en plus redoutables à mesure que l'on s'enfonce sous terre, les plus mauvais parmi les hommes n'ayant même pas droit à la septième strate : leurs âmes sont annihilées. Les Évangiles sont plus prolixes que la Bible sur cette question : une « fournaise ardente où seront les pleurs et les grincements de dents » (Matthieu 13, 42 et 50), un « feu éternel qui a été préparé pour le diable et pour ses anges » (Matthieu 25, 41). L'Apocalypse de Jean décrit les démons, les damnés soumis à la torture « dans l'étang de feu et de soufre » (20, 10). De ce fait, on comprend que la littérature chrétienne consacrée à la description de l'enfer ait été fort abondante. Saint Augustin affirme l'existence de l'enfer en tant que lieu physique doté d'un feu purificateur qui brûle sans consumer. Il confirme l'existence d'un enfer provisoire, accueillant les damnés dès la mort, et d'un enfer définitif où « les souffrances des mauvais sont plus pénibles parce qu'ils sont tourmentés avec leurs corps » (*In Johannem tractacus*). Le pape Grégoire le Grand précise que les damnés y sont tourmentés par des démons spécialisés chacun dans la sanction d'un vice précis ! Quant au Coran, il est prolifique en descriptions infernales qui n'ont rien à envier à celles que l'on trouve dans la littérature chrétienne des premiers siècles. Il y est question de chaudrons d'huile bouillante, de gourdins de fer, de métal fondu, de feu bien sûr, et j'en passe !

Cela dit, au regard des trois monothéismes, la souffrance la plus cruelle reste l'éloignement de Dieu. Au-delà de ces peines auxquelles la plupart des fidèles en Occident ne croient plus, ce qui constitue la vraie peine infernale, c'est la privation du bien suprême : Dieu.

MD – Le paradis et l'enfer sont les royaumes des âmes. Mais où va le corps ?

FL – S'inspirant du très beau passage du livre d'Ézéchiel où Dieu ressuscite les corps et leur redonne chair, la littérature eschatologique juive décrit la manière dont les âmes, au jugement dernier, retournent à la poussière afin de se reconstituer en corps de chair et, en règle générale, l'opinion dominante estime qu'il y aura reconstitution intégrale de la personne, corps et âme. D'où les fortes réticences actuelles du judaïsme rabbinique aux dons d'organes *post mortem* ! La question de la résurrection déchaîne les discussions talmudiques : qui ressuscitera, tout le monde, les justes seulement ? Quand ressusciteront-ils, à l'avènement du Messie, au jour du jugement dernier ? Tous les morts ressusciteront-ils, ou seulement ceux qui sont enterrés en Israël ? Les corps se reconstitueront-ils à l'identique ou serons-nous dotés de nouveaux corps, nus ou habillés ? Évidemment, nul ne possède les réponses, et la majorité des rabbins restent circonspects, s'en tenant à ce que disait Maïmonide : nous ne pouvons rien savoir de la manière dont cette résurrection se déroulera...

MD – Quelles sont les réponses du christianisme et de l'islam à ces questions ?

FL – Toutes les Églises chrétiennes, quelles que soient leurs divergences, font de la résurrection du

Christ, trois jours après sa mort, un acte de foi. Je rappelle l'exclamation de Paul devant les Corinthiens, apparemment dubitatifs : « Si l'on prêche que le Christ est ressuscité des morts, comment certains parmi vous peuvent-ils dire qu'il n'y a pas résurrection des morts ? » (I Corinthiens 15, 12). L'ensemble des nations, d'après les Évangiles, sont concernées par la résurrection finale : tout le monde comparaîtra devant le tribunal divin, après quoi chacun sera rétribué selon ses actes. Quant à la question de savoir ce qui ressuscitera de nous, deux réponses différentes sont apportées par le corpus sacré chrétien. Aux Romains, saint Paul affirme que le Christ ressuscitera aussi les corps (Romains 8, 11). Avec les Corinthiens, il est moins catégorique : « On ressuscite le corps spirituel » (I Corinthiens 15, 44). Les Églises orthodoxe et protestante préfèrent d'ailleurs parler d'une « résurrection des morts », tandis que l'Église catholique est attachée à l'expression « résurrection de la chair ». L'article 1059 du catéchisme de l'Église catholique s'avance énormément sur ce sujet en affirmant qu'au jour du jugement, « tous les hommes comparaîtront avec leur propre corps devant le tribunal du Christ ».

C'est exactement ce que l'on retrouve dans l'islam où, selon le Coran, les morts se redresseront ce jour-là dans leurs tombes, leurs corps se revêtiront de chair, et ils se rassembleront pour rendre compte, une deuxième fois, devant Dieu, de leurs actes. Car pour les musulmans le mort est aussitôt soumis à un premier jugement, appelé le « jugement de la tombe », qui détermine le lieu assigné à chacun en fonction des actions, bonnes ou mauvaises, qu'il a accomplies ici-bas. Les uns connaissent les délices du paradis, les autres les affres de l'enfer, jusqu'au jour du jugement dernier et de la résurrection finale, quand nous comparaîtrons tous devant Dieu. Les damnés connaîtront alors, pour l'éternité, un enfer encore plus terrible, et les sauvés un paradis encore plus merveilleux.

6

L'Absolu impersonnel des sagesses orientales

MARIE DRUCKER – Nous avons surtout parlé des religions issues du bassin méditerranéen, mais vous avez évoqué plusieurs fois la figure du Bouddha. Retrouve-t-on dans les religions d'Asie ce concept d'un Dieu personnel ou bien s'agit-il de religions panthéistes ou de sagesses athées ?

FRÉDÉRIC LENOIR – Nous avons parlé de religions nées dans un même terreau, celui du Proche-Orient, avant de se disséminer dans le monde. Mais l'Asie est un tout autre terreau, qui a donné un socle de développement à des religions très différentes de ces monothéismes : l'hindouisme, le bouddhisme, le jaïnisme, les traditions chinoises, entre autres. Dans ces traditions-là, le divin, quand il est réfléchi, reste le plus souvent une notion très impersonnelle, bien éloignée des préoccupations des théologiens monothéistes. Il serait plus juste de parler de ce divin-là comme de l'« Absolu » plutôt que comme Dieu. Cet Absolu, qui peut prendre des formes très diverses, n'est pas un

Dieu créateur, et son rôle n'est ni de récompenser ni de punir.

MD – Que sait-on de lui ? Comment le définir ?

FL – Je vais commencer par un point d'histoire. La vallée de l'Indus a été colonisée, au début du IIe millénaire avant notre ère, par le peuple arien originaire des plaines du Caucase. Une partie de ses croyances va irriguer l'ancêtre d'une grande partie des traditions orientales : la religion védique. Celle-ci est née en Inde mille ou mille cinq cents ans avant notre ère. On sait que cette religion était dotée d'un panthéon complexe, avec des dieux supérieurs, des demi-dieux, des génies, toute une population céleste qu'il fallait en permanence honorer : c'était la tâche dévolue aux prêtres. Cette caste privilégiée passait son temps à effectuer des rituels compliqués et à offrir des sacrifices. L'hindouisme est né en réaction à cette religion, bien qu'il ait intégré ses textes sacrés, les *Vedas*, dont l'un des plus anciens, le *Rig-Veda*, chante les louanges des différents dieux du cosmos qui donnent la richesse et la vie à leurs fidèles. Mais l'hindouisme a aussi produit ses propres textes, notamment les *Upanishads*, dont l'origine remonte environ au VIIe siècle avant notre ère, les plus tardifs (il en existe une centaine) ayant été composés vers le IIe siècle avant notre ère.

MD – Ces textes sont-ils considérés par leurs adeptes comme « révélés », à l'instar de la Bible ou du Coran ?

FL – D'une certaine manière, oui, mais pas par un Dieu personnel et créateur qui aurait parlé à des prophètes. Les hindous considèrent que ces textes sont des méditations, des enseignements de grands sages inspirés transmis oralement dans un premier temps, avant d'être mis par écrit. Le *Shvetashvatara Upanishad* est particulièrement intéressant en ce qui nous concerne. Il introduit des éléments absents de la religion védique, notamment l'idée d'une intelligence supérieure qui n'organise pas la vie des humains mais dont la tâche se situe à un tout autre niveau, la gestion de l'univers. Cette intelligence se rapproche du Principe suprême qui émerge au même moment dans la philosophie grecque, le Logos d'Héraclite ou le Noos d'Anaxagore : une intelligence organisatrice et directrice du monde. Les plus anciens *Upanishads* sont presque entièrement consacrés à la définition de l'Absolu, exercice difficile dans la mesure où il n'est ni un être ni une personne, mais une essence cosmique, un grand Tout, le *Brahman*, dont une parcelle réside en tout être, l'*atman* (l'âme individuelle, en quelque sorte).

MD – Il existe pourtant des milliers de dieux dans l'hindouisme...

FL – Ces dieux innombrables ne sont que les manifestations, les formes pourrait-on dire, d'un Absolu indéfinissable. Parce que, justement, on ne peut rien dire de cet Absolu, on peut vénérer une multitude de divinités qui en sont les diverses expressions.

Dans le panthéon hindou, au-dessus de cette multitude de dieux, il existe une triade, la *Trimurti*, littéralement la « triple forme », c'est-à-dire les trois principales formes du divin. Brahma est à son sommet. Étant lui-même une figuration du Brahman (l'Absolu impersonnel), il est un dieu suprême qui ne reçoit pas de culte et n'est pas l'objet de dévotion. Sa fonction est cependant cruciale dans ces traditions où l'on ne postule pas le début et la fin du monde, mais une succession d'ères cosmiques, l'une s'achevant pour être remplacée par une autre. Chaque fois qu'une ère s'achève et qu'un nouvel univers se met en place, Brahma fait en sorte que les divers éléments préexistants (il ne les crée pas) se mettent en place de manière cohérente. Brahma est le garant de l'ordre. Le second élément de cette triade est Vishnou, la manifestation de la bonté du divin, qui maintient en permanence l'harmonie universelle. Le troisième élément est Shiva, beaucoup plus ambivalent. Il a une fonction redoutable de destruction, ce qui est indispensable dans la vision cosmogonique hindoue où un univers se détruit et un autre se crée à sa place. Mais c'est aussi une forme divine protectrice pour qui sait l'amener vers ce pouvoir-là. Cette Trimurti nous fait évidemment penser à la Trinité chrétienne. Comme l'a montré le linguiste et philologue Georges Dumézil, l'importance de ce chiffre trois dans la structuration du divin et des sociétés vient des Aryens, ancêtres communs des peuples indo-européens. Mais Brahma, Vishnou et Shiva ne sont pas trois personnes divines, ce sont trois manifestations d'un divin impersonnel dont on ne peut rien savoir.

MD – Rama et Krishna sont au cœur des grandes épopées hindoues, comme le *Mahabharata* ou la *Bhagavad Gita*, le livre religieux le plus populaire en Inde. Que représentent ces figures divines ?

FL – Ce sont des avatars (terme qui a inspiré le titre du film de Cameron) de Vishnou ou de Shiva : des représentations ou des « descentes » du principe divin, qui sont l'objet de dévotion. La multitude des avatars divins est au cœur de la religion hindoue. En fait, les deux grandes branches de l'hindouisme contemporain, le shivaïsme et le vishnouisme, sont deux façons très différentes de vivre un même socle de croyances. Le shivaïsme, connu aussi sous le nom d'*advaita*, littéralement « non-deux », se divise lui-même en de nombreuses écoles. Elles ont pour tronc commun la doctrine de la non-dualité, la non-différenciation entre l'individu et le Tout, le Brahman et l'atman, et c'est à cette fusion qu'aspire le fidèle. C'est dans les rangs des shivaïtes que l'on trouve les ascètes. L'une des figures majeures de cette voie spirituelle est Shankara, un grand sage du VIIIe siècle qui a théorisé le concept de la non-dualité. Au XXe siècle, son principal représentant a été Ramana Maharshi. Si je devais résumer le vishnouïsme en deux mots, ce serait « amour » et « dévotion ». Les adeptes de Vishnou et de ses nombreux avatars (dont Krishna est le plus populaire) représentent 75 % à 80 % des hindous. Ils sont les champions de la *bhakti*, littéralement la « dévotion », même si l'on voit des shivaïtes s'y livrer également. La bhakti est la religion populaire par excellence. Elle a pour objet aussi bien Vishnou, Shiva et leurs avatars que l'un des innombrables dieux de cette Inde appelée le « mandala des trente-trois millions de dieux », dont l'un des plus populaires est Ganesh, le dieu à la tête d'éléphant.

Les fidèles ne prient pas tous les mêmes figures : chacun s'approprie le dieu ou la déesse qui lui convient, par tradition familiale, par choix personnel, parce que son temple est à proximité, parce que c'est la divinité spécifique de son village ou de sa caste, et tisse effectivement avec lui ou elle un lien aussi intime et personnel que le juif, le chrétien ou le musulman avec Dieu. Il s'adresse à sa statue ou à son image qu'il affiche bien évidence chez lui, il lui fait des offrandes de fleur, de lait, d'encens, de fruits, il la loue, lui rend grâce, lui transmet ses demandes et remercie quand elles sont exaucées. C'est une religiosité populaire, profonde, très répandue parmi le milliard d'hindous. Elle se traduit par des pèlerinages gigantesques et constants (les hindous sont les plus grands pèlerins du monde), accomplis avec d'autant plus de ferveur que la croyance populaire veut qu'ils permettent d'accumuler des mérites en vue d'une meilleure renaissance.

MD – N'y a-t-il jamais eu de guerre de religion entre les adorateurs de ces différents dieux ?

FL – Il peut y avoir quelques escarmouches, mais jamais de guerre. Pour une raison bien simple : les fidèles, au fond d'eux-mêmes, savent bien que ces mille dieux qu'ils adorent ne sont que des représentations de l'Absolu, des images de ce Brahman impersonnel qui, lui, est au-delà de toute forme. Ce qui n'est pas sans rappeler la théologie apophatique chrétienne, appelée aussi « théologie négative », qui se refuse à décrire ce que Dieu est parce qu'elle considère que Dieu est l'Indicible.

MD – Il n'y a donc que les monothéismes qui se fassent la guerre ?

FL – Non ! Les hindous s'opposent parfois de manière très violente aux musulmans, mais il ne s'agit pas de conflits théologiques. L'enjeu de ces guerres est uniquement politique et la religion est un ciment identitaire sur lequel on s'appuie pour lutter contre des minorités musulmanes au nom du nationalisme. De même, il arrive que les bouddhistes se battent entre eux ou avec des hindous, mais là aussi au nom d'enjeux ethniques ou de pouvoir politique local.

MD – Le yoga, pratiqué en Inde depuis des millénaires, est devenu à la mode en Occident depuis quelques décennies. J'imagine qu'il ne s'agit pas en Inde d'une sorte de gymnastique douce pour citadins stressés ! C'est une pratique dévotionnelle ?

FL – C'est plutôt une pratique spirituelle et philosophique qui se rattache au shivaïsme même s'il est, de fait, mis à profit par tous les hindous. Il est l'une des nombreuses techniques d'ascèse décrites dans les *Upanishads*. Le mot « yoga » vient de la racine *yuj* qui signifie « atteler ensemble » ou « unir ». Un texte, le *Yoga Sutra*, composé de cent quatre-vingt-quinze aphorismes et mis en forme vers le IIe siècle avant notre ère, énonce les préceptes de cette discipline qui allie le contrôle du souffle, des techniques corporelles, des méditations, et aussi des obligations morales et religieuses comme la non-violence, le refus du mensonge, du vol, la continence sexuelle, la pureté, l'ardeur ascétique... En fait, il n'existe pas un mais des yogas proposant chacun ses *yamas*, ses méthodes pour amener le calme de l'esprit, le déconnecter de toutes les perturbations et l'unir au corps de manière harmonieuse. À l'origine, le yoga était pratiqué par les seuls ascètes. Aujourd'hui encore, le but ultime du yogi est de devenir un « délivré vivant », un *sadhu* qui atteint la délivrance ici-bas. Ayant rompu toutes leurs attaches matérielles, ayant dépassé leurs propres désirs, les sadhus accèdent à la connaissance suprême. Ils sont traversés par le divin, ils fusionnent avec lui, ils ne forment plus qu'un avec le Brahman, l'Absolu. Les sadhus – qui n'ont pas tous atteint cet idéal, mais qui y sont entièrement consacrés – seraient quatre à cinq millions en Inde aujourd'hui.

MD – Ces pratiques si diverses sont-elles régulées par une institution ou une quelconque orthodoxie ?

FL – Il n'y a ni institution ni orthodoxie dans l'hindouisme, mais un fondement conceptuel commun sur lequel prospèrent les multiples pratiques. En revanche, dans toutes les voies dont j'ai parlé, il existe un personnage central, le pivot de la pratique religieuse : le gourou, le maître, le professeur auprès duquel le fidèle apprend à effectuer son cheminement. Il n'y a pas de yogi sans gourou, il n'y a pas d'ashram sans gourou, il n'y a pas d'enseignement sans gourou. Ce maître-là transmet le savoir qu'il a lui-même acquis auprès de maîtres mais, bien plus que cela, il transmet son expérience. Jusque dans les villages les plus reculés d'Inde, on trouvera toujours un gourou entouré de ses disciples, plus ou moins nombreux selon la renommée qu'il a acquise. Les disciples, eux, sont pleinement soumis au maître, ce qui peut heurter l'entendement occidental, mais qui participe, dans la conception hindoue, à la *moksha*, la « délivrance ».

MD – Je ne comprends pas très bien en quoi consiste cette délivrance à laquelle vous avez plusieurs fois fait allusion. De quoi doit-on se délivrer ?

FL – Les hindous croient en la transmigration des âmes, ce que nous appelons en Occident la « réincarnation ». L'atman, l'âme individuelle, se réincarne de corps en corps en fonction du karma accumulé. Le karma individuel est le fruit d'une loi universelle de causalité, le *karman* : tout acte engendre un effet. Ces actes et ces effets étant plus ou moins positifs ou négatifs, il s'ensuit qu'après notre mort, nous nous réincarnerons dans de bonnes ou de mauvaises conditions. Le but ultime étant de ne plus se réincarner du tout puisque plus notre karma sera positif, plus nous serons à même de prendre conscience que le sentiment d'individualité est une illusion. Nous réaliserons que l'atman équivaut au Brahman, que notre âme individuelle n'est qu'une partie du Tout et plus aucun égoïsme (avec toutes ses conséquences, le désir, la peur, la violence, etc.) n'aura prise sur nous. Nous lâcherons l'ego. C'est cela que les hindous appellent la « délivrance ». Alors nous quitterons le *samsara*, la ronde incessante des renaissances, pour nous fondre en quelque sorte dans le Tout cosmique et divin.

MD – Cela ressemble beaucoup à ce que je connais du bouddhisme : il faut quitter le samsara pour atteindre le *nirvana*, qui est aussi conçu comme une sorte de délivrance. Alors, quelle est la différence entre hindouisme et bouddhisme ?

FL – La proximité entre les deux traditions, en tout cas en ce qui concerne le socle théologique, n'est pas étonnante : n'oublions pas que le Bouddha est né en Inde au VIe siècle avant notre ère, en pleine diffusion des *Upanishads*, et qu'il a entamé sa quête spirituelle auprès de sadhus, des ascètes des forêts, même s'il s'en est par la suite détourné. L'originalité du bouddhisme tient en partie au diagnostic qu'il pose sur la cause de notre emprisonnement dans le samsara et sur la thérapie existentielle qu'il propose pour se libérer et atteindre le nirvana. Le message du Bouddha se résume ainsi, de manière très schématique, dans ce que l'on appelle les « quatre nobles vérités » : la vie est souffrance, l'origine de la souffrance est le désir, il existe un moyen de supprimer cette souffrance, c'est le noble chemin, la voie que propose le Bouddha, qui conduit à l'extinction de la souffrance par l'extinction du désir et de l'attachement. Cette voie est dite « du milieu » parce que tant en matière d'éthique que de pratique, elle rejette les attitudes extrêmes, aussi bien l'attachement sous toutes ses formes que les mortifications excessives pour se forcer au détachement.

MD – Le bouddhisme enseigne donc à supprimer tout désir et tout attachement ? C'est extrêmement violent !

FL – C'est vrai, on oublie trop souvent en Occident le caractère très exigeant de l'ascèse bouddhiste pour ne garder que son côté « soft » : quelques techniques qui aident à trouver un peu de sérénité. Et pourquoi pas ! Mais si on décide de s'investir totalement dans la voie prônée par le Bouddha, nous sommes conduits au détachement total, jusqu'à la dépossession de soi, c'est-à-dire la mort de l'ego, comme dans l'hindouisme. Or nous sommes engagés en Occident depuis environ deux siècles dans une quête exactement inverse : l'accomplissement de soi. L'être humain cherche à s'éteindre comme individualité d'un côté, il s'affirme toujours plus comme individualité de l'autre. Il faut avoir conscience de ces différences, même si on peut tenter de trouver des compromis entre ces deux voies, trouver pertinent tel aspect de la philosophie bouddhiste, comme les lois d'impermanence ou d'interdépendance, ou bien la pratique de la méditation.

Le Bouddha est parti d'un constat : la vie est douleur. L'origine de la douleur est la « soif », comprise dans le sens du « désir ». Nous désirons toujours quelque chose et quand nous avons cette chose (ou cet être), nous souffrons de la peur de le perdre. Tant que nous nous attacherons à la vie, aux êtres, aux choses matérielles, nous serons toujours plus ou moins malheureux, parce que tout est impermanent, tout change sans cesse. Or le Bouddha cherche un bonheur durable, définitif. Et il explique que cette sérénité parfaite ne peut s'obtenir que si l'on n'est plus soumis à la loi du désir et de l'attachement. Ce qui fait d'ailleurs qu'on ne se réincarnera plus, puisque la soif de vivre se sera aussi éteinte – étymologiquement *nirvana* signifie « extinction ».

MD – Mais dans l'attachement et l'amour des autres, il n'y a pas que de la souffrance. Le bouddhisme préconise-t-il aussi de se priver du bonheur d'aimer ?

FL – Il faut quand même rappeler que l'idéal de vie bouddhiste est la vie monastique qui permet justement un renoncement à la sexualité et à la vie amoureuse et familiale qui suscitent toujours de l'attachement. D'ailleurs, le Bouddha ne parle jamais d'amour dans son message spirituel, sinon d'amour universel à travers le terme de « compassion », *maitri* en sanskrit. Et cet amour universel envers tous les êtres vivants interdit justement de s'attacher à tel être en particulier, d'où l'idée constante dans le bouddhisme qu'il est infiniment plus facile d'accéder au nirvana par la voie monastique que par celle du mariage. Mais on peut aussi comprendre le message du Bouddha comme une incitation à aimer de manière non passionnelle, sans emprise et sans attente, dans une relation à l'autre fondée sur un don authentique, à la manière finalement de l'*agapê* chrétienne.

MD – Dans votre ouvrage *La Rencontre du bouddhisme et de l'Occident*, vous affirmez que la philosophie bouddhiste peut beaucoup nous apporter ! Tout comme la civilisation chrétienne, selon les dires mêmes du dalaï-lama, a apporté à l'Asie les notions de justice sociale et d'aide aux plus démunis qui lui manquaient.

FL – Ces deux derniers concepts sont en effet étrangers à l'hindouisme comme au bouddhisme qui ne valorisent pas la dimension matérielle de l'existence : peu importe qu'on soit riche ou pauvre, malade ou bien portant, ce qui compte, c'est la libération intérieure. D'autre part, la croyance dans la loi universelle du karma engendre une sorte de fatalisme et d'indifférence à la misère corporelle d'autrui : il ne sert à rien de vouloir changer l'ordre des choses ou d'aider des gens dans le malheur, puisque leur condition actuelle provient d'actes commis dans des vies antérieures. Mère Teresa a commencé son action à Calcutta parce qu'elle ne supportait plus de voir des gens mourir dans la rue dans l'indifférence générale, des bébés jetés dans des poubelles, des lépreux parqués comme des parias. Et elle a rencontré au début énormément d'incompréhension et de résistance. Ce n'est qu'après deux décennies, une fois son œuvre connue dans le monde entier, que les consciences ont bougé et que l'Inde se l'est fièrement appropriée comme une héroïne nationale. Les orphelinats, les hospices, les léproseries où les lépreux sont traités comme des êtres humains à part entière ne sont pas nés en terre hindoue ou bouddhiste, mais dans un terreau chrétien qui prône l'amour du prochain comme commandement divin pour transformer le monde. Je crois donc très fécond l'échange entre ce que le bouddhisme a de meilleur : la connaissance de soi, le respect de la nature, la non-violence : et ce que l'Occident a de meilleur – les droits de l'homme et le souci d'autrui. C'est la raison pour laquelle le grand historien des civilisations Arnold Toynbee a dit peu de temps avant sa mort en 1975 cette parole qui a stupéfié son auditoire : « Le plus grand événement du XXe siècle, c'est la rencontre du bouddhisme et de l'Occident. »

MD – Bouddha, comme Jésus, n'a rien écrit. Comment connaît-on sa vie et son message ?

FL – Bouddha n'est pas son nom, mais un titre, qui signifie l'« éveillé », comme on parle du Christ pour signifier le Messie. Son nom est Siddharta Gautama, du clan des Shakyas (d'où lui vient aussi son nom de Shakyamuni). Les textes dont on dispose ont été écrits plusieurs siècles après sa mort (je rappelle que les Évangiles et le Coran ont été écrits quelques dizaines d'années après la mort de Jésus et de Mohamed) et ils font un récit très légendaire de sa vie, mais dont la trame principale semble crédible. On le dit fils de roi, il était plus probablement fils de seigneur d'une petite cité du nord de l'Inde actuelle. Happé par sa quête spirituelle, il a abandonné sa femme et son fils et quitté son palais. Après avoir mené une vie ascétique extrême, il a finalement atteint l'Éveil au terme d'une longue méditation. Puis il a transmis son enseignement à une petite poignée de disciples. Le premier *sangha*, la première communauté qu'il a créée après son Éveil, s'est entièrement consacrée à la vie spirituelle et à la méditation. Elle ne va pas cesser de grandir pendant les quarante ans de prédication itinérante du Bouddha. Les *sutras*, textes qui rapportent ses enseignements, ont aussi été écrits plusieurs siècles après sa mort et sont le fruit d'une longue tradition orale. Ils font état de nombreux débats philosophiques au sein des écoles du bouddhisme. Mais la principale scission a lieu environ au début de l'ère chrétienne, soit plus de cinq siècles après la mort du Bouddha, entre le courant Theravada (littéralement « des Anciens »), qui insiste sur le salut individuel, et le mouvement Mahayana (littéralement « Grand Véhicule »), qui insiste sur la compassion active pour tout être vivant.

MD – Le bouddhisme est-il davantage une philosophie qu'une religion ?

FL – Il est les deux. Le bouddhisme est une sagesse fondée sur une expérience et une pensée rationnelle, mais en même temps il repose sur un socle de croyances qui, je vous le disais, sont profondément enracinées dans l'univers religieux indien qui était celui du Bouddha. Comme l'hindouisme, le bouddhisme postule la réalité du samsara, la roue des existences, et tous les enseignements qu'il délivre sont destinés à aider les vivants à se libérer de ce cycle pour accéder à l'Éveil, le nirvana, en se libérant du poids du karma généré par les actes intentionnels que nous accomplissons par le corps, par la parole ou en pensée. Le bouddhisme se distingue toutefois de l'hindouisme dans la mesure où il ne croit pas en la réalité substantielle de l'atman, l'âme. Pour lui, l'atman est un agrégat provisoire appelé à se dissoudre après la mort.

MD – Mais alors, qu'est-ce qui se réincarne, s'il n'y a pas de continuité d'une âme à l'autre ?

FL – Il y a une continuité, mais pas sur le plan de la substance de l'âme. La continuité est au niveau karmique : le karma continue de produire des effets donnant naissance à une nouvelle âme qui est une recomposition nouvelle d'éléments psychiques, émotionnels, sensitifs ayant déjà existé. C'est ce qui explique que pour les bouddhistes les individus aient parfois des souvenirs de vies antérieures : ces souvenirs ne viennent pas d'une continuité d'être, mais de la présence de résidus karmiques provenant d'existences passées.

MD – Il n'y a pas que chez les bouddhistes que certains disent se souvenir d'événements vécus dans une « autre vie »...

FL – En effet, en 1967, un neuropsychiatre canadien, Ian Stevenson, a lancé ses équipes à travers le monde pour recueillir de tels témoignages auprès d'enfants qui, dans un état de conscience ordinaire, racontaient de tels souvenirs, des réminiscences d'une « autre vie ». Plus de deux mille six cents témoignages ont été recueillis, pour moitié dans le Sud-Est asiatique, y compris l'Inde, l'autre moitié au Moyen-Orient auprès des druzes et des alaouites de Turquie, en Alaska, et même en Europe. Tous ces enfants étaient issus de milieux adhérant à la croyance en la réincarnation. Stevenson a particulièrement approfondi l'étude d'une centaine de cas, « vérifiant » les souvenirs, et notant que ceux-ci s'estompaient vers l'âge de sept ans, sous la pression du milieu social. Je vous citerai un cas parmi ceux-ci, celui d'un petit Indien Prakash, qui disait avoir des souvenirs très précis d'un autre enfant, Nirmal, mort... un an avant sa naissance. Il se souvenait du nom de son village, de celui de ses parents, de ses amis. Stevenson s'est rendu sur les lieux avec lui : l'enfant a effectivement reconnu sa maison, les siens, et les a nommés. Mais il était étonné par la porte d'entrée de la maison, il disait que ce n'était pas la « vraie » porte. Effectivement, celle-ci avait été changée après la mort de Nirman ! Stevenson a également étudié, chez ces enfants, ce que l'on appelle les « marques de naissance », et il a noté leur corrélation avec des événements survenus dans l'« autre vie ». Un enfant dont le bras droit était atrophié se souvenait, par exemple, avoir tué sa femme. J'ai moi-même connu une personne qui portait en permanence un petit foulard autour du cou, depuis l'enfance, sans savoir pourquoi, mais il fallait qu'elle le porte. Dans le cadre d'une thérapie de groupe, et dans un état un peu modifié de conscience, cette personne s'est visualisée se faisant décapiter durant la Révolution française. Depuis ce jour, elle ne porte plus son foulard !

MD – Et vous, qu'en pensez-vous ?

FL – Je crois que l'on ne peut pas nier la réalité de certains témoignages, mais l'explication d'une vie antérieure est trop rapide. Stevenson lui-même n'a eu de cesse que d'exiger la plus grande prudence dans l'interprétation de ses travaux, ajoutant qu'en dépit de tous les faits accumulés il n'avait pas de preuve de la réalité de la réincarnation, ces « souvenirs » pouvant peut-être aussi s'expliquer par des phénomènes de transmission de pensée. Il y a une autre explication possible, fondée sur ce que le grand psychologue suisse Carl Gustav Jung a appelé l'« inconscient collectif » : selon lui, nous avons non seulement la mémoire de notre propre histoire, mais aussi celle de toute la lignée à laquelle nous appartenons, celle de notre culture avec ses archétypes, ses mythes, celle de personnes que nous ne connaissons pas, mais dont nous nous approprions les souvenirs. Nous avons en quelque sorte la mémoire de l'humanité. Les vies antérieures se confondraient-elles avec l'inconscient collectif ?

Mais pour en revenir à la réincarnation dans le

bouddhisme, ce n'est donc pas une individualité (celle-ci est toujours une illusion) qui transmigre d'une existence à l'autre. Et l'accession au nirvana signifie l'extinction d'une chaîne karmique à laquelle des milliers d'êtres vivants ont pu participer : plantes, animaux, humains... Le Bouddha précise toutefois que seule la condition humaine permet d'atteindre la délivrance ultime par la prise de conscience que l'ego est une illusion et par l'extinction volontaire de la soif, du désir.

MD – Cette théorie ne correspond pas vraiment à ce qu'on entend à propos des grands lamas tibétains qui disent être la réincarnation de maîtres spirituels du passé. Dans son autobiographie, le dalaï-lama raconte comment il a été reconnu à l'âge de deux ans comme la réincarnation de son prédécesseur, parce qu'il a pu identifier sans se tromper des objets lui ayant appartenu.

FL – En effet, mais nous sommes ici devant une évolution très tardive du bouddhisme, qui n'a cessé au cours de sa longue histoire de s'enrichir de nouvelles théories et de nouvelles pratiques. Le bouddhisme tibétain s'enracine dans le courant du bouddhisme du Grand Véhicule (Mahayana) qui s'est donc développé plus de cinq siècles après la mort du Bouddha. Comme je l'ai déjà évoqué, il met l'accent sur la compassion universelle plutôt que sur la délivrance individuelle. L'idéal prôné est d'atteindre l'Éveil non plus pour se libérer tout seul du cycle des renaissances, mais pour aider tous les êtres vivants à cette libération. C'est ce qu'on appelle la « grande compassion » (*karuna*) qui va beaucoup plus loin que la *maitri* demandant seulement d'être bienveillant et de ne pas faire de mal aux êtres sensibles. Tous ceux qui s'engagent sur cette voie – laquelle s'est répandue dans tout le nord-est de l'Asie, du Tibet à la Chine, en passant par le Japon et la Corée – aspirent à devenir un *bodhisattva* et font le vœu de venir en aide à tous les êtres vivants. Un bodhisattva est donc un être qui a atteint l'Éveil, mais décide de revenir sur terre après sa mort pour continuer à aider les êtres à atteindre eux-mêmes l'Éveil. Dès lors, le processus de réincarnation diffère : la conscience de l'éveillé se maintient après la mort du corps physique et il peut volontairement programmer sa future incarnation dans tel ou tel corps ; son esprit conservera aussi les traits fondamentaux de son individualité précédente (et notamment tous ses acquis de sagesse) puisqu'il n'est plus soumis aux mêmes lois de dissolution de l'âme. Le dalaï-lama, et beaucoup d'autres maîtres bouddhistes, sont ainsi considérés comme des bodhisattvas. Après leur mort on recherche systématiquement la trace de leur nouvelle incarnation.

MD – Je voudrais revenir à la notion de compassion. Pourquoi les sociétés asiatiques marquées par le courant du Grand Véhicule n'ont-elles pas développé de compassion concrète pour ceux qui sont dans la misère et qui souffrent dans leur corps ? C'est incohérent avec le vœu de venir en aide à tous les êtres vivants !

FL – Parce que, justement, ils souffrent dans leur corps. Or, pour les bouddhistes, la plus grande souffrance n'est pas la souffrance corporelle ou liée aux conditions matérielles de l'existence ; c'est celle de l'esprit qui est encore dans l'ignorance et attaché. Les maîtres spirituels se préoccupent donc uniquement d'enseigner la voie qui permet d'atteindre la délivrance. C'est là que se situe pour eux la véritable compassion. C'est parce que nous sommes profondément imprégnés de culture monothéiste, et notamment judéo-chrétienne, que cela nous surprend. Mais pour un bouddhiste, la libération de l'esprit compte infiniment plus que la santé physique ou le bien-être matériel. L'éradication de l'ignorance est une tâche plus urgente que l'éradication de la souffrance physique. À mon avis, l'idéal serait de se préoccuper des deux !

MD – Par ailleurs, si le bouddhisme est une religion sans Dieu, ce n'est pas pour autant une religion sans dieux. Le Bouddha lui-même croyait en l'existence de nombreuses déités.

FL – Les bouddhistes croient en effet en l'existence d'êtres immatériels appelés *devas*. Mais à aucun moment il n'est dit que ces êtres sont surnaturels. Ce sont des êtres naturels : comme les plantes ou les hommes : mais d'une autre nature. Au regard de la doctrine, ces êtres habitent d'autres plans de l'univers, et ils sont pris, comme nous, dans la roue du samsara. Les prier ne serait qu'une illusion. Dans les faits, il en va tout autrement : ces déités sont, en effet, l'objet de cultes populaires, y compris dans les temples. Ils sont priés de la même manière que l'est Dieu par les juifs, les chrétiens ou les musulmans : des prières de demande ou de remerciement leur sont adressées et, comme dans les temples hindous, ils reçoivent des offrandes en échange de leur protection. Ces pratiques sont certes éloignées de la doctrine, mais les autorités bouddhistes ne les condamnent pas. Elles considèrent qu'elles peuvent aider certains individus à progresser sur la voie. Au fond, toutes les religions se ressemblent parce qu'elles répondent au besoin d'apaiser l'être humain dans ses souffrances et ses angoisses.

MD – Si prier un Dieu personnel est une illusion, quelles sont les pratiques spirituelles du bouddhisme ?

FL – La méditation. Selon la tradition bouddhiste, le Bouddha avait lui-même tenté toutes sortes de pratiques avant de s'installer sous un arbre dans le hameau d'Uruvilva (l'actuel Bodhgaya), faisant vœu de ne plus bouger avant d'avoir atteint la vérité. Il s'est plongé dans une profonde méditation. Le fondement de cette pratique mérite d'être explicité. J'ai envie de vous dire que méditer n'est pas difficile : c'est simplement une question d'entraînement. La première condition est de se placer en situation de non-action. Coupé du monde extérieur, on fait silence en soi. Il ne s'agit pas de s'évertuer à chasser toutes ses pensées, au contraire : en se concentrant sur sa respiration, il faut les laisser passer, c'est-à-dire les observer de la même manière qu'on regarde le paysage quand on est dans un train. On voit ici une vache, puis une maison, on se dit : « Voici une vache », mais aussitôt qu'on voit la maison, on a oublié la vache : on ne pense pas à elle une fois qu'on l'a perdue de vue. On laisse ainsi les pensées se succéder, sans s'attacher à aucune d'elles. On ne réussit pas toujours à la première tentative, mais très vite on apprend à réaliser le silence intérieur. La conscience se clarifie, on peut voir de plus en plus profondément en soi. De nombreuses techniques de méditation beaucoup plus élaborées ont aussi été mises au point par les différentes écoles bouddhistes, faisant appel à des techniques de visualisation, par exemple.

MD – Les sagesses chinoises connaissent elles aussi un succès croissant en Occident...

FL – La Chine est un monde en soi d'une assez

grande complexité. Mais je crois qu'on peut évoquer quelques grands traits communs aux traditions chinoises – j'entends toutes les traditions nées en Chine et bâties sur des concepts propres à l'univers mental chinois. Ainsi du concept du *qi*, une énergie vitale en perpétuel mouvement qui traverse toutes les choses et tous les êtres, anime l'univers et la vie, circule en chaque être par des méridiens se recoupant en certains points. Ce concept n'a pas d'équivalent en Occident, pas plus qu'en Inde. Autre concept, celui du *yin* (la lune, le féminin, le froid) et du *yang* (le soleil, le masculin, le chaud). Le yin et le yang, emblèmes du changement perpétuellement à l'œuvre dans l'univers, sont deux notions complémentaires et indissociables : ils n'ont pas de sens l'un sans l'autre, ils ne peuvent pas être séparés, ils ne peuvent pas être opposés. On pourrait aussi citer le concept du *Tao*, qui est à la fois l'état primordial et le principe ultime.

MD – Et Dieu dans tout ça ?

FL – Les religions chinoises ont en commun avec la plupart des autres traditions orientales de ne pas évoquer l'idée de Dieu. Ce ne sont pas des monothéismes, elles ne postulent pas non plus l'idée d'un début et d'une fin de l'univers : le Tao existe depuis toujours et pour toujours. Comme les hindous ou les bouddhistes, les Chinois croient en l'existence d'esprits supérieurs naturels : dieux, démons, esprits des morts –, mais ils s'en méfient. Confucius pensait qu'il faut « respecter les esprits, mais s'en tenir éloigné », laisser chacun avoir ses croyances et œuvrer pour une meilleure humanité. L'ouvrage majeur qui lui est attribué, mais qui a été plus probablement rédigé par ses disciples, ses *Entretiens*, est l'un des livres les plus lus au monde !

MD – Confucius a-t-il réellement existé ?

FL – J'ignore si sa tombe et celles de ses nombreux descendants réunies en un même lieu, Kong Lin, ou la « forêt des Kong », sont une preuve que le personnage a réellement existé. Mais en Chine, on ne remet pas en doute la réalité de maître Kong, dit Confucius, et surnommé « le sage accompli et le premier des professeurs ». Il serait né vers 550 avant notre ère, aurait été petit fonctionnaire avant d'ouvrir sa propre école privée, dans laquelle il accueillait tous les élèves, sans distinction de classe ou de fortune, pour forger en eux la noblesse du cœur, qu'il estimait supérieure à la noblesse du sang. On raconte aussi qu'il chercha vainement, pendant des années, un prince qui lui permettrait d'appliquer ses principes à l'échelle d'une province. Confucius était avant tout un pédagogue prônant des principes de rectitude qui seuls, à ses yeux, pouvaient édifier une société harmonieuse. Sa sagesse repose sur l'observation de la nature et de ses cycles contre lesquels il est inutile de lutter. Il donnait un exemple simple : plutôt que de prier pour la pluie en été, il est plus sage (et plus efficace) d'accumuler des réserves d'eau en prévision de la saison sèche. Une logique qu'il a appliquée à toutes les choses de la vie. Aucune technique, aucune prière, insistait-il, ne pourrait dévier le cours des choses. Alors autant admettre la hiérarchie naturelle, reflet de la hiérarchie du cosmos, et s'incliner devant elle – d'où son constant souci d'une discipline respectueuse, qui peut effectivement nous faire sursauter aujourd'hui. Pendant des siècles, dans la Chine impériale, chaque bourg avait son bâtiment dédié à Confucius où chacun pouvait venir apprendre à lire et à écrire et où se déroulaient les examens impériaux permettant d'intégrer la fonction publique. Le maoïsme a mis fin à cette longue tradition.

MD – Le confucianisme apparaît surtout comme une morale, le taoïsme, en revanche, semble beaucoup plus religieux...

FL – Le taoïsme est une tradition très étrange pour nous, avec ses temples, ses prêtres, hommes et femmes, et sa quête de l'immortalité. Lao Zi (Lao Tseu), appelé « le vieux maître », serait le fondateur de cette tradition. A-t-il effectivement vécu au VIe siècle avant notre ère, ou n'est-il qu'un personnage mythologique ? On dit que c'était un lettré – certains récits en font le maître de Confucius –, mais qu'il connaissait aussi le monde des divinités. Un jour, dit la légende, constatant le déclin irréversible de la société chinoise dans laquelle il vivait, il s'en alla vers l'ouest. Au moment de franchir les frontières de la Chine, un homme le supplia de lui délivrer ses enseignements. Il rédigea le *Daodejing,* le *Livre de la voie et de la vertu*, constitué de quatre-vingt-un aphorismes. C'est un petit texte assez extraordinaire qui tente d'exprimer, souvent de manière elliptique ou paradoxale, ce qu'est le Tao.

Les taoïstes considèrent que le corps de chacun contient tout le cosmos, ses cycles, ses divinités, et que l'univers est un corps immense. L'objectif de cette religion est de maintenir l'harmonie entre les différentes énergies qui traversent le corps et l'esprit, et entre celles-ci et le cosmos. C'est à ce prix que l'on conquiert l'immortalité qui n'est pas un but, mais l'aboutissement logique d'une parfaite maîtrise des équilibres en soi. Comme l'hindouisme, le taoïsme est une tradition initiatique qui se transmet de maître à disciple, implique des techniques corporelles, des règles alimentaires très restrictives, et surtout une moralité sans faille, chaque écart retirant des années de vie au « pécheur ». On commence aussi à s'intéresser à ses pratiques sexuelles qui participent, elles aussi, de la quête de l'immortalité !

MD – Dites-nous tout !

FL – Il ne s'agit pas d'une sexualité débridée, mais presque d'un acte religieux, une « danse cosmique » qui est le stade ultime de l'initiation des laïcs, au cours de laquelle l'homme et la femme mêlent leurs énergies, l'homme captant l'essence féminine de la femme et la femme l'essence masculine de l'homme. Mais pour cela l'homme ne doit pas éjaculer. Je n'en sais pas beaucoup plus, car je n'ai pas été initié !

Pour en revenir aux traditions chinoises, j'ajouterai qu'on ne peut pas parler de la Chine sans évoquer la « vraie » religion des Chinois, une religion qui n'a pas de nom et que l'on connaît sous celui de « religion populaire ». Elle est le fruit de toutes sortes d'influences : bouddhisme, taoïsme, confucianisme, anciennes croyances chamaniques. S'y côtoient le culte des divinités, des esprits de la nature et celui des ancêtres. Elle est faite d'offrandes et de tractations incessantes avec tous ces êtres dont les temples foisonnent en Chine. Mais par-dessus tout, les Chinois restent très attachés au culte des ancêtres, largement partagé par tous, ainsi qu'en témoignent les autels domestiques sur lesquels sont posées les tablettes renfermant les âmes des aînés, devant lesquels sont faites des offrandes de riz, de fleurs et même d'alcool.

C'est un culte qui n'a pas beaucoup changé depuis les origines...

MD – Malgré le maoïsme ?

FL – Avec la révolution communiste, une terrible période de répression s'est ouverte pour toutes les religions, qualifiées de « superstitions ». En 1957, voyant que beaucoup de gens continuaient à pratiquer en secret, le gouvernement chinois a fondé des associations cultuelles destinées à encadrer étroitement le culte. Mais la Révolution culturelle a mis un terme à cette courte ouverture et une terrible répression s'est à nouveau abattue sur les religions. Avec l'arrivée au pouvoir de Deng Xiao Ping, en 1979, celle-ci s'est fortement atténuée et s'est établi un *modus vivendi* entre l'État et les religions, à condition que celles-ci « fonctionnent » sous le contrôle étroit des autorités. Actuellement, il y a un véritable engouement des Chinois pour les spiritualités et notamment la redécouverte du confucianisme. Le christianisme se développe aussi de manière spectaculaire depuis quelques décennies et aurait plusieurs centaines de millions de fidèles. Il y a d'une part les évangéliques protestants et d'autre part les catholiques. Mais l'Église catholique est scindée en deux courants : l'Église officielle, dont les évêques et les prêtres sont nommés par l'État, et une très prospère Église dite « souterraine », reconnue par le Vatican, qui nomme ses évêques, et dont le culte s'organise dans la plus grande discrétion, faute d'autorisation.

MD – Difficile de clore ce chapitre sans évoquer le Tibet, sujet qui, je le sais, vous tient particulièrement à cœur...

FL – Au Tibet, pays envoûtant au peuple si attachant, s'est développée une forme de bouddhisme très particulière : un mélange étrange du bouddhisme indien le plus ancien et le plus rationnel – qui a finalement disparu de l'Inde sous les doubles attaques des hindous et des musulmans – et de spiritualité mystique, intégrant des éléments chamaniques, fondée sur des techniques méditatives complexes et un enseignement initiatique. Le bouddhisme tibétain possède son propre canon, des *mantras*, formules favorisant l'illumination, des *mandalas* ou « diagrammes cosmiques » utilisés comme support de méditation. L'État chinois a envahi l'immense Tibet en 1950 et, pour le mettre sous tutelle, la Chine s'en est pris à sa religion, ciment de l'identité nationale tibétaine. On connaît la suite, l'exil du dalaï-lama en 1959, la répression terrible des moines et des moniales tibétains, la destruction de milliers de monastères. Mais actuellement, même si le bouddhisme tibétain reste étroitement surveillé et réprimé au Tibet, on constate un certain engouement des Chinois pour cette forme de spiritualité et les temples bouddhistes tibétains ne désemplissent pas à Pékin. C'est peut-être par ce biais – tout à fait incompréhensible pour les autorités communistes qui pensaient en finir avec les superstitions des Tibétains – que le gouvernement chinois finira peut-être un jour par être contraint de respecter la culture et la religion tibétaines... à défaut de rendre aux Tibétains leur légitime autonomie politique.

7

Le Dieu de Mohamed

MARIE DRUCKER – L'islam est né au VIIe siècle de notre ère en plein désert d'Arabie. Comment s'inscrit-il dans la continuité de l'histoire des religions et notamment des monothéismes qui le précèdent ?

FRÉDÉRIC LENOIR – Le désert d'Arabie n'était pas du tout isolé, au contraire ! La Mecque, en particulier, était un centre névralgique, le carrefour où se croisaient les caravanes qui assuraient les échanges commerciaux entre l'Inde, le Yémen, l'Éthiopie, la Syrie, la Mésopotamie, la Palestine. C'était *la* ville cosmopolite par excellence, où toutes les influences s'exerçaient. Au IIe siècle de notre ère, le Grec Ptolémée y faisait déjà référence sous le nom de Macoraba, de l'éthiopien *mikrab*, le « temple ». Or la réputation de La Mecque venait justement de son temple bâti à proximité de la source de Zamzam, et qui abritait déjà la Kaaba, la fameuse pierre noire autour de laquelle les musulmans accomplissent leurs circumambulations rituelles lors du pèlerinage. La tribu des Quraishites, qui régnait sur la cité, avait adopté le principe de stricte neutralité. Neutralité politique – La Mecque ne prenait pas parti dans les querelles et les guerres entre les empires qui l'entouraient – et neutralité religieuse – les païens, les manichéens, les juifs et les chrétiens de toutes obédiences pouvaient y célébrer leurs cultes en toute liberté. Outre la Kaaba, le temple de la cité abritait trois cent soixante divinités, dont les trois divinités de la cité, les déesses Uzah, Lat et Manat. De grandes foires étaient organisées attirant des marchands venus de très loin, de grands pèlerinages aussi, et La Mecque était de ce fait une ville particulièrement prospère. Évidemment, les richesses étaient inégalement réparties, essentiellement entre les mains du clan au pouvoir, et un certain nombre de Mecquois restaient en marge de cette prospérité.

MD – C'est donc dans ce contexte, finalement très « international », que naît Mahomet...

FL – C'est un Mecquois de la tribu des Quraishites, mais appartenant à une branche défavorisée de cette tribu, les Bani Hashem. Son père meurt avant sa naissance, vers 570, et sa mère quand il a cinq ou six ans. Il est élevé par son oncle maternel, Abou Talib, un modeste caravanier. Mohamed apprend ce métier, et il a neuf ou dix ans quand il commence à accompagner son oncle jusqu'à Damas, ville alors très majoritairement chrétienne, où vivent aussi des juifs. Comme tous les caravaniers, il noue des amitiés avec les autochtones. Il rencontre en particulier un ermite chrétien, le moine Bahira qui, selon les récits de la vie du prophète, aurait reconnu son don prophétique et demandé à Abou Talib de veiller sur l'enfant. À l'âge adulte, Mohamed entre au service d'une riche veuve, Khadija, qui possède des caravanes. Comme il a la réputation d'être intègre, elle lui confie la conduite de ses chameaux. Il a vingt-cinq ans quand il l'épouse, elle en a quarante, ils donnent naissance à des filles. À La Mecque, à cette période, est apparue la mouvance de ceux que l'on appelle les *hanifs*, des polythéistes lassés du polythéisme, qui ne se sentaient pas non plus proches du judaïsme ou du christianisme, et étaient en quête d'un Dieu unique, le Dieu d'Abraham – de ce que l'on pourrait appeler en somme le « monothéisme des origines ». Les hanifs n'étaient pas nombreux, et avaient pour habitude de partir en retraite pour quelques jours ou quelques semaines dans les grottes du mont Hira, une colline à proximité de La Mecque.

MD – Mahomet était-il l'un d'eux ?

FL – On l'ignore, mais il effectuait lui aussi des retraites régulières et prolongées sur ce mont. C'est là, à l'âge de quarante ans, qu'il vit une expérience spirituelle très forte. Selon la tradition musulmane, un ange lui apparaît et lui ordonne : « Lis, au nom de ton Seigneur qui a créé ! » Et il lui délivre ainsi un premier verset coranique, celui par lequel débute la sourate (ou chapitre) 96 du Coran. C'est, dit la tradition, de cette manière qu'aurait été révélé l'ensemble du Livre saint de l'islam, dicté donc par l'ange, un processus qui s'est étalé sur vingt-deux ans, jusqu'à la mort de Mohamed.

MD – Pourquoi l'appelez-vous Mohamed plutôt que Mahomet ?

FL – Parce que c'est son nom ! Je devrais même l'appeler Muhammad, la transcription littérale de son nom arabe, mais la version francisée Mohamed est plus compréhensible pour le public. En revanche, je répugne à dire Mahomet comme le font tous les médias, nom qui provient d'une francisation du turc Mehmet et qui s'est répandu en France depuis la Renaissance à la faveur de nos relations avec l'Empire ottoman. Le prophète de l'islam étant arabe et non turc, je ne vois pas pourquoi il faudrait conserver cette appellation qui est impropre et que n'utilise aucun universitaire.

MD – Bien, chef ! Revenons au processus de révélation du Coran... Comment s'est-il déroulé ?

FL – Le problème est que nous ne disposons d'aucun matériau extérieur à l'hagiographie musulmane et au Coran lui-même. Les biographies du prophète sont d'ailleurs très tardives et n'ont commencé à être rédigées que deux cents ans après sa mort. Or l'histoire musulmane de la révélation coranique est un récit aussi merveilleux que l'histoire juive de la révélation biblique ou les Évangiles de l'enfance de Jésus. Les versets de l'ange, que la tradition a identifié à Gabriel (Gibril en arabe), étaient aussitôt retranscrits par les compagnons de Mohamed sur tous les supports disponibles : omoplates de chameau, palmes, pierres, bouts de bois, qui étaient précieusement conservés, mais aucun de ces fragments ne nous est parvenu. Ces versets sont circonstanciés : ils sont, pour la plupart, intervenus en réponse à des situations réelles, bien concrètes, à des problèmes qui se posaient à la communauté.

Schématiquement, on distingue les versets mecquois des versets médinois, plus tardifs. Les premiers sont liés à la formation de la communauté qui se crée peu à peu autour de Mohamed pour adorer un Dieu unique. Il s'agit d'abord de proches du prophète, puis de jeunes, pour la plupart laissés à l'écart de la prospérité de la cité, parce que n'appartenant pas aux cercles du pouvoir. Leur prosélytisme, leur agitation, leurs critiques incessantes inquiètent les Quraishites soucieux de préserver leur cité de tout trouble, et surtout de lui conserver son caractère de « cité de tous les dieux ». On voit, à cette époque, plusieurs versets répondre directement aux critiques adressées à Mohamed et aux siens, d'autres énoncer la nouvelle doctrine, ses rituels, ses éléments de foi, insister sur l'unicité de Dieu, sur les vertus dont doivent se parer ses fidèles, sur les rétributions dans l'au-delà. Cependant, la communauté de Mohamed augmente et l'inquiétude des Quraishites s'accroît d'autant. Une dizaine d'années après le début de la révélation, la mort de Khadija, la riche épouse de Mohamed, une femme d'influence, et de son oncle Abou Talib, son protecteur, contraignent le prophète et sa communauté à trouver refuge ailleurs. Ils s'enfuient à Yathrib, l'actuelle Médine. On est alors en 622, année qui marque le début du calendrier de l'hégire, littéralement de l'« exil ». Les versets médinois (un tiers du Coran environ) reflètent, eux, la mise en place d'une communauté organisée, d'un embryon d'*oumma*, littéralement la « nation » (musulmane). Ils réglementent la vie du groupe, les mariages, les pactes, accompagnent aussi les guerres que livrent les premiers musulmans aux Mecquois, leurs querelles avec les juifs et les chrétiens de Médine. Les versets ont été ultérieurement classés en sourates, ou chapitres, sans respect de l'ordre chronologique de leur apparition.

Autre point important : la révélation s'est étalée sur plus de vingt ans, et durant cette période, des versets contradictoires ont été dictés. Pour résoudre ce dilemme, l'islam a adopté le principe des versets « abrogés » et des versets « abrogeants » – qui abrogent donc les premiers. Prenons l'exemple du vin : dans un premier temps, le Coran interdit simplement aux croyants de pénétrer dans une mosquée en état d'ivresse (4, 46), et c'est dans un deuxième temps seulement qu'apparaît le verset assimilant le vin à une « œuvre du démon » et l'interdisant donc aux fidèles (5, 90). Ce deuxième verset a invalidé le premier.

MD – Éternelle question de la révélation : les musulmans croient-ils vraiment que ces versets ont été dictés directement par Dieu, sans intervention humaine ?

FL – Les musulmans disent que le Coran est « descendu » (sous-entendu : du ciel), que Mohamed n'en est pas l'auteur, mais qu'il est seulement le transmetteur de la parole d'Allah. De ce fait, ils considèrent que ce Livre est intouchable. Jusqu'au début du Xe siècle de notre ère, une controverse a fortement agité le monde musulman, portant sur le fait de savoir si le Coran avait été créé (par Allah) au fur et à mesure de sa révélation, ou s'il était incréé, c'est-à-dire existant de toute éternité. Les mutazélites, des « rationalistes » que je comparerais aux hommes des Lumières chrétiennes, étaient les tenants de la théorie d'un texte créé, qui plus est d'un texte qui pouvait être interprété, discuté : le Créateur, disaient-ils, a donné à l'homme la raison, et celui-ci doit l'exercer, ne serait-ce que pour répondre à une injonction divine qui consiste, justement, à raisonner. Mais les mutazélites se sont heurtés aux tenants de l'orthodoxie qui prêchaient contre le libre arbitre et qui, au même moment, mettaient en place les très tardifs recueils de *hadiths*, les « dits » du prophète. Pour eux, l'homme n'avait qu'un seul devoir envers son Créateur, lui obéir. Une thèse qui se révélait séduisante pour les califes abbassides, alors au pouvoir et en proie à la contestation non seulement des mutazilites, mais aussi des chiites. Ces derniers revendiquaient le pouvoir du califat au profit de celui des descendants du prophète, dont ils continuent d'ailleurs de se réclamer. En se ralliant aux thèses traditionalistes, dont le chef de file était Ibn Hanbal – le fondateur de l'école hanbalite qui a donné naissance au wahhabisme saoudien –, le califat a érigé la « non-création » du Coran en dogme. Depuis, la tradition musulmane veut que le texte originel, en arabe, langue dans laquelle il a été « donné » à Mohamed, soit, de toute éternité, posé à la droite d'Allah : c'est la « Table gardée », également appelée la « mère du Livre ».

MD – Et vous, qu'en pensez-vous ?

FL – Il faut appliquer au Coran les techniques de l'exégèse qui sont appliquées à tous les autres textes sacrés, notamment la Bible et les Évangiles. Il faut le faire dans une perspective distanciée d'historien. Mais c'est aussi le travail auquel les mutazilites estimaient qu'il était du devoir de tout croyant de se livrer et d'autres théologiens musulmans ont, par la suite, tenté de faire une mise en perspective critique de ce texte. Ils se sont malheureusement heurtés à un mur d'intolérance, d'autant que des voix d'autorité ont comparé leur travail à un blasphème. Je trouve pourtant dommage de priver les musulmans d'un tel travail. Car, même d'un point de vue de croyant, ce serait rendre hommage à Dieu que de s'y livrer, sans aucun a priori, sans idée préconçue. Dieu, s'il existe, n'a rien à redouter d'un travail honnête de recherche de la vérité sur l'établissement des textes sacrés, que ce soit la Bible ou le Coran !

MD – Par où doit commencer ce travail d'exégèse ?

FL – Par une analyse du Coran lui-même, qui s'inscrit, en partie, dans la continuité des autres textes sacrés, voire de textes apocryphes juifs et chrétiens. Il en reprend des histoires, même s'il les raconte autrement. Et cela mérite décryptage ! On voit aussi dans le Coran, comme dans la Bible, se refléter les croyances et les coutumes de l'époque, les structures mentales, mais aussi le vocabulaire, les tournures de phrase. S'il parle des djinns (démons) et décrit avec autant de verve les splendeurs du paradis et les tourments de l'enfer, n'est-ce pas pour se faire comprendre de la société à laquelle il s'adressait, lui inculquer, puisque c'est son but essentiel, des valeurs d'exigence qui sont celles du monothéisme, et qui commencent par la croyance en un Dieu unique auquel il faut rendre des comptes ? Mohamed ne vivait pas à l'écart de la société, ce n'était pas un ermite, il était entouré de ses compagnons, de ses épouses (il était monogame tant que Khadija était en vie, puis à Médine il a pratiqué la polygamie), il avait des contacts en dehors de son cercle de fidèles, notamment avec des juifs et des chrétiens. C'est en tout cas ce qu'affirment les *siras* (vies) du prophète, ainsi que les hadiths. Je peux vous citer l'exemple d'un événement qui s'est produit juste après la première révélation, sur le mont Hira. Selon les *siras*, effrayé par la voix qui s'est adressée à lui et convaincu d'être possédé par des démons, Mohamed se précipite chez son épouse Khadija. Celle-ci le conduit chez son propre cousin, un certain Waraqa Ibn Nawfal, un chrétien fort érudit en matière de religion, un prêtre qui lisait la Bible en hébreu – détail très étrange qui amène à se demander si Waraqa n'était pas plutôt un rabbin. Waraqa, comme Bahira avant lui, n'a pas vocation à occuper une place prépondérante dans l'histoire « officielle » de l'islam ; quoi qu'il en soit, il aurait, est-il dit, reconnu les signes de la prophétie et confirmé à Mohamed que l'ange qui lui était apparu était Gabriel, le même messager envoyé par Dieu à Moïse et à Marie, la mère de Jésus. Il mourra quelques jours après cette entrevue. C'est peut-être vrai, mais la proximité de Khadija avec son cousin laisse penser qu'au cours des dix ou quinze années qui ont précédé, c'est-à-dire depuis son mariage avec Mohamed, les deux hommes ont eu certainement l'occasion d'échanger, en particulier autour des questions religieuses et spirituelles dont le jeune caravanier était, semble-t-il, fort avide.

MD – Que reste-t-il, dans le Coran, de ces échanges ? Sont-ils les seuls ?

FL – L'islam se situe dans la continuité des autres révélations : selon les musulmans, il vient les « confirmer ». Ainsi, de nombreux prophètes bibliques sont cités, et l'islam fait d'ailleurs d'Adam le premier d'entre eux. On pourrait aussi mentionner Moïse, David, Job, Salomon, mais également des personnages tout juste évoqués par la Bible, beaucoup plus « travaillés » par la tradition orale juive, et qui sont très présents dans le Coran, par exemple la reine de Saba. Une attention toute particulière y est apportée à Abraham (Ibrahim en arabe) dont le nom apparaît dans vingt-cinq sourates. Celui-ci était l'exemple auquel se référaient les hanifs qui, à l'époque du prophète, étaient, je l'ai dit, en quête d'un pur monothéisme. Dans le Coran, Abraham a un statut à part : il n'est pas un prophète comme les autres, mais un « ami intime » d'Allah (4, 125), le modèle de la foi originelle appelée le « monothéisme pur » (16, 123). Le récit qu'en fait l'islam est différent du récit biblique, comme c'est d'ailleurs le cas pour les autres récits, et pas seulement sur des détails.

MD – D'où viennent ces ajouts ? Ils ne sont pas inventés *ex nihilo*...

FL – Non, ils s'appuient sur des sources que l'on a pu identifier. L'une d'elles est un texte qui circulait alors dans les milieux juifs et chrétiens et que lisaient certainement les hanifs : l'*Apocalypse d'Abraham*. On y voit ainsi Abraham qui, précise le Coran (3, 67), n'était ni juif ni chrétien mais « soumis à Allah » (ce que veut dire « musulman ») effectuer un voyage céleste. On l'y voit s'opposer à son peuple idolâtre et le fuir : c'est aussi ce que raconte le Coran. Cette *Apocalypse* insiste aussi sur la destruction des idoles à laquelle se serait livré le père des monothéismes, et c'est justement un passage que l'on retrouve dans le Coran, avec pour théâtre La Mecque : l'islam fait d'Abraham le fondateur de la Kaaba et l'initiateur des rites qui y sont pratiqués, en particulier la circumambulation. Les détails de cette scène, telle que rapportée par le Coran, ont d'étranges ressemblances avec ce qui en est dit dans des *midrashs*, des commentaires talmudiques sur les livres bibliques, en particulier dans Genèse Rabba, un midrash du ve siècle portant sur le livre biblique de la Genèse. Mais on pourrait en dire autant d'autres événements « bibliques » tels qu'ils ont été rapportés par le Livre saint de l'islam.

MD – Comment Jésus est-il évoqué dans le Coran ?

FL – Il y est présenté non pas comme le fils de

Dieu mais comme un prophète. Et ce prophète-là, selon l'islam, n'est pas mort sur la croix : Dieu lui a substitué un sosie... et a élevé le vrai Jésus vers lui (4, 157-158) ! Le Coran ne donne étrangement pas à Jésus son nom arabe, Yasouh, il l'appelle Issa, un nom dont on ignore l'origine. Plus précisément « Issa le fils de Maryam » (Marie), détail à relever dans une société où chacun était (fils de) son père, y compris Mohamed, qui s'appelle Mohamed Ibn (fils de) Abdallah. La naissance virginale de Jésus est reconnue : il est né, dit le Coran, d'un souffle introduit par Dieu en Marie (mais non de Dieu lui-même), et seul Adam partage ce privilège. Ce souffle n'est pas assimilé à l'Esprit Saint. Est-il l'ange qui a porté à Mohamed la parole de Dieu ? C'est ce que laissent penser certains versets, alors que dans d'autres, le souffle est assimilé à la parole créatrice de Dieu, son verbe, c'est-à-dire le Logos de l'Évangile de Jean. Par ailleurs, toujours dans le Coran, Jésus est considéré comme un prophète supérieur à d'autres prophètes ; il fait partie des messagers à qui Allah a parlé, a « apporté des preuves » (2, 253), il est un « signe de Dieu » envoyé au peuple d'Israël, chargé de confirmer la Torah et de rendre licites une partie des interdits qui y ont été édictés (3, 49). Son personnage est présenté comme particulièrement exemplaire, mais il est surtout le prophète qui annonce la venue de Mohamed, appelé ici Ahmed (61,6). De même que sont reconnus les miracles qu'il accomplit. Cependant son histoire, telle que rapportée dans le Coran, s'inspire essentiellement d'écrits apocryphes, c'est-à-dire de textes chrétiens non reconnus par l'Église. Voici quelques exemples : quand le Coran affirme que Jésus insufflait la vie à des oiseaux d'argile, il reprend notamment l'*Évangile du Pseudo-*

Matthieu, rédigé probablement au Ve siècle, mais là où ce récit affirme que Jésus accomplissait ce miracle dans son enfance, le Coran les lui attribue à l'âge adulte ; de même, quand Jésus ordonne aux palmiers de se baisser pour nourrir sa mère, on y voit une référence à la fuite de Jérusalem telle qu'elle est racontée dans ces mêmes récits apocyphes.

MD – Le Coran évoque-t-il la Trinité chrétienne ?

FL – Il l'évoque pour la rejeter, l'assimilant à un polythéisme : « Ne dites pas trois ! Cessez ! Ce sera meilleur pour vous. Allah est un Dieu unique. Il est trop glorieux pour avoir un enfant » (4, 171). Le Coran revient à plusieurs reprises sur le fait que Jésus est un personnage exceptionnel, mais qu'il n'est pas le fils de Dieu. Je crois d'ailleurs que s'il insiste autant sur ce qu'il appelle le « pur monothéisme », le monothéisme d'Abraham, c'est par opposition, justement, à ce qu'il considère être un polythéisme chrétien. Il faut dire qu'à l'époque de Mohamed, les controverses trinitaires battaient encore leur plein en Orient et il n'est donc pas étonnant que le prophète de l'islam soit revenu sur ce brûlant sujet. On voit d'ailleurs, dans les sourates médinoises, des critiques virulentes à l'encontre de ceux qui continuent à associer d'autres dieux à Dieu, c'est-à-dire les chrétiens qui, selon l'islam, auraient déformé le message de Jésus en le divinisant. Ces critiques n'épargnent pas davantage les juifs, à qui il est reproché de n'avoir pas su reconnaître Jésus comme un prophète.

MD – De même Marie, la mère de Jésus, tient une place importante dans le Coran.

FL – Marie a un statut exceptionnel dans le Coran. Il

est dit qu'elle a été élue par Allah au-dessus de toutes les autres femmes (3, 42). Selon le récit coranique, elle a été vouée à Dieu par sa mère, pour la protéger des démons (des commentaires ultérieurs évoqueront même son immaculée conception, mille ans avant que l'Église catholique n'en fasse un dogme !). Dieu, dit encore le Coran, lui a réservé une « belle réception », et l'a confiée à Zacharie, le père de Jean-Baptiste (3, 7). Sa vie est entourée de miracles qui ne sont pas racontés dans les Évangiles canoniques, mais dans les apocryphes chrétiens.

MD – Je suppose que l'islam ne reconnaît pas les influences de ces sources externes, notamment ces apocryphes que vous citez...

FL – Les musulmans orthodoxes ne les reconnaissent pas plus que les juifs et les chrétiens fondamentalistes ne reconnaissent dans la Bible les influences méso-potamiennes, zoroastriennes ou égyptiennes que nous avons déjà évoquées. Le Coran nomme trois Livres sacrés, la Torah, l'Évangile (au singulier) et ce qu'il appelle le *Zabur* : s'agit-il des Psaumes, comme le laisse penser un verset ? S'agit-il d'autres écrits, notamment les apocryphes dont, on l'a vu, l'empreinte est très forte sur le Coran ? Selon le Coran, ces livres contiennent les révélations faites aux prophètes anté-rieurs, révélations que l'islam vient clore. Mohamed fut très tôt attaqué par les Mecquois qui l'accusaient de s'inspirer de ces Écritures antérieures, alors que lui-même affirmait parler sous la dictée de Dieu, par l'intermédiaire de l'ange. On le sait parce qu'un verset au moins prend la peine de réfuter ces accusations. Je vous le cite : « Nous savons parfaitement qu'ils disent : "C'est seulement un mortel qui l'instruit." Or la langue de celui auquel ils font allusion est étrangère, alors que ceci est une langue arabe éclairante » (16, 103). Mohamed a également été accusé d'inventer les versets, d'où celui-ci qui lui est révélé en réponse à cette accusation : « Ils ont traité de mensonge ce qu'ils ne peuvent embrasser de leur savoir et dont l'interprétation ne leur est pas encore parvenue. Ainsi ceux qui vivaient avant eux traitaient leurs messagers d'imposteurs » (10, 39).

On trouve aussi dans le Coran une influence manichéenne. Le prophète Mani, qui a vécu au IIIe siècle de notre ère, s'était donné pour titre le « sceau des prophètes », c'est-à-dire le dernier grand prophète. C'est exactement le titre par lequel Mohamed est désigné : *Khatimat al-anbiya'*. De même, les cinq piliers de l'islam sont déclinés dans le Coran : la profession de foi, la prière, l'aumône, le jeûne, le pèlerinage. Or le manichéisme s'était, lui aussi, doté de cinq piliers, dont trois se retrouvent dans l'islam : la prière, l'aumône, et le jeûne.

MD – Revenons à la constitution du Coran. Vous avez expliqué que, selon les sources musulmanes, les versets ont été révélés à Mohamed sur une très longue durée. Comment la version définitive a-t-elle été établie ?

FL – La tradition musulmane affirme qu'une quinzaine d'années après la mort du prophète, les califes (littéralement les « successeurs ») entreprirent la collecte des versets qui avaient été notés par les compagnons. Trente ans après la mort de Mohamed, ajoute la tradition, Othman, le troisième calife, acheva de compiler ces versets, réunis en sourates, elles-mêmes ordonnées par taille. Ce que l'on appelle la « vulgate d'Othman » fut alors, toujours selon la tradition, recopiée et distribuée dans l'Empire musulman naissant. Or aucun « accusé de réception » de l'époque n'a été retrouvé, ce qui est tout de même étrange. Le premier Coran complet qui nous soit parvenu date du IXe siècle, c'est-à-dire le IIIe siècle de l'hégire. Quant aux plus anciens extraits retrouvés, copiés sur papyrus ou sur parchemins, ils datent, eux, d'un siècle au moins après la mort de Mohamed. Ce sont des fragments lapidaires de versets, très mal conservés. L'histoire de la constitution du texte coranique n'est pas linéaire. La tradition musulmane elle-même reconnaît que la vulgate d'Othman ne fut pas unique : d'autres compilations apparurent en même temps dans un climat, il faut le préciser, de luttes pour le califat, que la famille du prophète de l'islam revendiquait mais qui avait échu à des compagnons. La tradition cite ainsi les livres d'Ubay Ibn Kaab, d'Abdallah Ibn Massoud, d'Abou Moussa al-Achari, ou encore d'Ali, le gendre du prophète, qui fut le quatrième calife et qui est considéré par l'islam chiite comme le premier grand imam, seul détenteur de la véritable autorité. Selon les chiites, la version d'Ali était numériquement beaucoup plus importante que les autres, mais elle fut censurée et détruite par Othman, au même titre que toutes les autres versions « non officielles ».

MD – Des travaux universitaires relativement récents tendent à démontrer que le Coran, dans la version que nous connaissons, aurait été rédigé beaucoup plus tard.

FL – Dans les années 1970, l'historien des religions John Wansbrough a estimé dans son *Quranic Studies* que certains versets, les plus prophétiques, avaient été ajoutés tardivement, c'est-à-dire au VIIIe siècle de notre ère, correspondant au IIe siècle de l'islam, par des compilateurs irakiens. Il y relevait notamment les influences d'un christianisme et d'un judaïsme tardifs. Sa thèse, faut-il le préciser, a suscité des réactions très violentes dans le monde musulman. En 2000, l'Allemand Christoph Luxenberg soutenait sous ce pseudonyme, tant le sujet est sensible, une thèse publiée quatre ans plus tard sous le titre *Die Syro-Aramäische Lesart des Koran* (Lecture syro-araméenne du Coran). Il s'y livre à un décryptage minutieux du vocabulaire coranique. Selon les musulmans, celui-ci appartient au plus pur des arabes, mais les théologiens eux-mêmes s'accordent à y trouver des zones d'ombre, des mots inconnus, qu'ils ne comprennent pas et qui n'ont aucune étymologie identifiable. Ces mots, dit Luxenberg, n'appartiennent tout simplement pas au vocabulaire arabe, mais sont des emprunts à la langue syro-araméenne. Il y a même relevé des expressions particulières à la liturgie chrétienne syriaque ! À travers cette lecture, le sens du Coran se trouve considérablement modifié. De plus, Luxenberg – mais il n'est pas le premier à le dire – affirme que le Coran, dans sa version finale, n'a pas été établi vingt ou trente ans après la mort de Mohamed, mais qu'il est le fruit du travail de plusieurs générations. De fait, il est probable qu'une grande partie du texte ait été établie sous le règne des quatre premiers califes. Quant à la version finale, elle est certainement plus tardive. En tout cas, un fait est certain : à l'époque de Mohamed, et durant au moins un siècle et demi, l'arabe s'écrivait sans les signes diacritiques, ces points et ces tirets qui, aujourd'hui, permettent de distinguer les lettres les unes des autres. Le mot « tour » (*bourj*), sans ces signes, pourrait aussi bien se lire « exode » (*nazaha*).

Car une autre difficulté s'ajoute : toutes les voyelles ne s'écrivent pas en arabe. Autrement dit, que cette vulgate ait été instituée par Othman ou pas, sa lecture et le choix définitif des mots sont beaucoup plus tardifs, et ont certainement été influencés par l'époque où ils ont été établis.

MD – Pourquoi l'orthodoxie musulmane rejette-t-elle les résultats de toutes ces recherches ?

FL – Parce qu'elle affirme que le Coran a été dicté par Dieu, que Mohamed le récitait souvent, et que ses compagnons ont non seulement retranscrit les versets, mais retenu l'ordre de la récitation qu'il en faisait. On voit que cette thèse peut être facilement écartée, dans la mesure où d'autres versions ont existé avant que s'impose la vulgate d'Othman. Les débats musclés entre les tenants des différentes versions ont perduré pendant plusieurs siècles, et on a même entendu des voix musulmanes mettre en doute l'authenticité de certains versets ou se plaindre que d'autres versets, eux aussi révélés, avaient été supprimés de la vulgate officielle. C'est le cas, par exemple, pour celui de la lapidation des couples adultères. Dans de prestigieuses universités islamiques, comme Al-Azhar au Caire, on n'enseigne que la version orthodoxe selon laquelle le Coran que nous connaissons est la vulgate réunie par Othman. Le nier relève du blasphème.

MD – Le verset de la lapidation que vous venez d'évoquer n'existe donc pas dans le Coran ?

FL – Non, pas dans la vulgate officielle, mais des hadiths, des propos de Mohamed, de ses compagnons et de ses épouses, retranscrits à peu près cent cinquante ans après leur disparition, font état de l'existence d'un tel verset. Et cela suffit à légitimer cette mise à mort atroce.

MD – Nous n'avons pas encore parlé d'Allah. Son nom est-il une invention de l'islam ?

FL – El ou Al est un très ancien nom donné par les civilisations proche-orientales, mésopotamiennes, sumériennes ou phéniciennes, au dieu supérieur, celui qui était au sommet de la hiérarchie des dieux. C'est ce qui a donné l'Elohim biblique. Avant la naissance de l'islam, on désignait en arabe, sous le nom d'Ilah ou Elah, un dieu lui aussi supérieur, impersonnel ; Ilah pouvait aussi signifier « un dieu ». Allah vient-il de l'ajout à Ilah de l'article *al*, Al-Ilah désignant dans ce cas *le* dieu ? C'est tout à fait probable.

MD – En quoi est-il différent du Dieu chrétien ?

FL – En réaction aux violentes querelles trinitaires qui agitent le monde chrétien de cette époque, le Dieu de l'islam se veut unique et sans partage. L'une des dernières sourates du Coran, donc l'une des plus courtes, est intitulée « Le monothéisme pur ». Elle « résume » Allah en quatre versets : « Dis : Il est Allah, l'Unique. Allah, le Seul à être imploré pour ce que nous désirons. Il n'a jamais engendré, n'a pas été engendré non plus. Et nul n'est égal à Lui. » On retrouve par ailleurs, dispersés dans le Coran, plusieurs autres versets qui viennent rappeler ce que l'islam appelle l'« unicité de Dieu », érigée en dogme absolu.

MD – Allah est-il plus proche du Dieu biblique ?

FL – En ce sens, oui. Comme le Dieu biblique, Allah est le créateur de toutes choses. Comme lui, il ne peut être représenté sous une forme humaine : il est bien au-delà de l'humanité. Il est l'Éternel, l'Absolu, omnipotent et omniscient. D'ailleurs, l'islam a récusé toute représentation humaine, y compris du prophète ou de ses compagnons, un interdit lié à la crainte de verser dans l'idolâtrie des statues, et cela est clairement dit dans le Coran. Mais Allah se veut, d'une certaine manière, plus parfait que le Dieu de la Bible. Quelques exemples : dans la Genèse, Dieu a créé l'univers en six jours, et au septième il s'est reposé (Exode 31, 17) ; était-il fatigué ? Allah, lui, a créé l'univers en six jours mais, est-il précisé dans le Coran, « sans éprouver la moindre lassitude » (50, 38). Dans les Psaumes, Dieu est ainsi interpellé : « Lève-toi, Seigneur, pourquoi dors-tu ? Réveille-toi ! » (44, 24). À quoi le Coran répond : « Ni somnolence ni sommeil ne le saisissent » (2, 255). On voit par ailleurs, à plusieurs reprises, le Dieu de la Bible se détourner de ses fidèles, ou voiler sa face : « Pourquoi caches-tu ta face, oublies-tu notre oppression, notre misère ? » (Psaumes 44, 25). « Mon Seigneur ne commet ni erreur ni oubli », rétorque Moïse dans le Coran (20, 52). Le Dieu biblique qui châtie Israël lui envoie la peste, puis veut exterminer Jérusalem, mais au moment où l'ange exterminateur se prépare à exécuter cet ordre, il est dit : « Yahvé regarda et se repentit de ce mal » (I Chroniques 20, 14). Pour l'islam, il est impensable que Dieu, « le Parfait », se repente, ce qui signifierait qu'il a mal agi. Je pourrais vous citer ainsi des dizaines de traits humains du Dieu biblique, des traits trop humains qui sont refusés par le Coran au nom de la perfection divine. Prenons un dernier exemple : dans la Bible, Dieu voit Satan s'approcher de lui et lui demande : « D'où viens-tu ? » (Job 2, 2) ; l'islam estime qu'il est impensable d'envisager que Dieu puisse ignorer quoi que ce soit : « Il connaît les secrets, même les plus cachés » (20, 7) ; « C'est Lui qui détient les clefs de l'Inconnaissable. Nul autre que Lui ne les connaît. Et Il connaît ce qui est sur terre, comme dans la mer. Et pas une feuille ne tombe qu'Il ne le sache » (6, 59). En somme, Allah se veut plus infaillible, plus parfait que le Dieu de la Bible. Les affirmations bibliques que je vous ai citées sont considérées, par les musulmans, comme autant de blasphèmes.

MD – Quelle est la nature de ce Dieu ?

FL – C'est une question que les musulmans ne se posent pas. Ils considèrent que l'essence de Dieu est incompréhensible pour l'homme. En revanche, les musulmans reconnaissent ce qu'ils appellent les « attributs de Dieu », rappelés dans les quatre-vingt-dix-neuf noms d'Allah cités dans le Coran. Parmi ces noms, « le Souverain », « le Pur », « l'Apaisant », « le Rassurant », « le Prédominant », « le Tout-Puissant », « le Contraignant », cités en enfilade dans un seul verset (59, 23) ! Ces noms peuvent être contradictoires : Allah est ainsi nommé « Celui qui avilit » et « Celui qui donne puissance et considération » ; il est « le Bon », « le Magnanime », « le Tout Pardonnant », mais il est aussi « l'Inébranlable », et « Celui qui tue » ; il est « Celui qui met en avant » et « Celui qui met en arrière », etc. La tradition musulmane affirme que celui qui répète ces noms entrera au paradis. Si Allah châtie, le Coran ne parlera en aucun cas de vengeance pour qualifier ces châtiments : il leur préférera le mot « justice ». Allah est un Dieu juste. Et plus encore un Dieu miséricordieux : cent treize des cent quatorze sourates du Coran commencent d'ailleurs avec cette expression : « Au nom d'Allah, le Clément, le Miséricordieux ». Aujourd'hui encore, on voit beaucoup de musulmans commencer leurs lettres (ou leurs discours) par cette phrase.

MD – Quelle relation les musulmans entretiennent-ils avec Dieu ?

FL – Une relation de très grande proximité, puisque l'islam considère qu'il ne peut pas y avoir d'intermédiaire entre l'être humain et son Dieu : pas de clergé, pas d'intercesseur. C'est Dieu que le musulman prie directement, et il est répété dans le Coran que Dieu entend toutes les prières. Si les juifs sont les plus légalistes des croyants, je pense que les musulmans, eux, sont les plus « priants ». Le mot *salat* (prière), qui vient d'ailleurs du syriaque *slota*, apparaît soixante-cinq fois dans le Coran. La prière est l'un des cinq piliers qui impose aux croyants de prier Allah cinq fois par jour, en se tournant en direction de La Mecque. À ces prières dites « canoniques », qui sont précédées d'ablutions rituelles, s'ajoute toute une gamme de prières individuelles : le nom d'Allah est invoqué car c'est un Dieu de proximité auquel les croyants font appel en toutes circonstances, pour l'implorer ou lui rendre grâce. On peut dire que les prières réparties par les catholiques entre Dieu, Jésus, Marie et les saints sont toutes dirigées, par les musulmans, vers Allah, le Dieu unique et tout-puissant ! La prière de base de tout musulman, l'équivalent du « Notre Père » chrétien, est la première sourate du Coran, la *Fatiha*, littéralement l'« ouverture ». Elle est très courte, la voici : « Au nom d'Allah, le Clément, le Miséricordieux. Louange à Allah, le Seigneur de l'univers, le Clément, le Miséricordieux, Maître du jour de la Rétribution. C'est Toi seul que nous adorons, c'est Toi seul que nous implorons. Guide-nous sur le droit chemin, le chemin que Tu as comblé de Tes bienfaits, et non pas de ceux qui ont suscité Ta colère, ni le chemin des égarés. »

8

Foi et raison : les philosophes, la science et Dieu

MARIE DRUCKER – Certains philosophes ont adhéré à l'idée de dieux ou d'un Dieu. S'agit-il d'une croyance religieuse ou bien est-ce le fruit d'un raisonnement philosophique ? Autrement dit, peut-on avoir accès à Dieu par la seule voie de la raison ?

FRÉDÉRIC LENOIR – C'est une question capitale qui occupe toute l'histoire de la philosophie au moins jusqu'au XIXe siècle ! Commençons par les Grecs, qui sont à l'origine de la pensée philosophique occidentale. Les penseurs grecs vivaient dans un monde très religieux, imprégné de mythes et de croyances polythéistes. L'effort philosophique vise justement à dépasser ces mythes et ces croyances pour rechercher la vérité à l'aide de la raison. En même temps, les philosophes de l'Antiquité respectent les dieux de la cité et certains ont été initiés aux mystères orphiques ou d'Éleusis, comme je l'ai déjà évoqué. Mais en tant que philosophes, que disent-ils de Dieu ? Le premier point, commun à tous, c'est qu'ils dénoncent le caractère anthropomorphique et immoral des dieux de l'Olympe. Ceux-ci ressemblent trop aux humains pour être crédibles, surtout ils semblent avoir hérité de tous les vices des hommes : débauche, orgueil, esprit de vengeance, tromperie, inconstance... Si les dieux existent, ils sont au contraire parfaits, et n'ont rien à voir avec les mœurs volages des humains. Sans passion, sans désir, ils deviennent donc, pour certains philosophes, comme Épicure, des modèles de sagesse à imiter. D'autres ne croient pas en l'existence des dieux, aussi parfaits soient-ils, ce qui ne les empêche pas de croire en une raison universelle divine qui gouverne le monde et qui est également présente en l'homme. Chez les stoïciens – un courant de pensée gréco-romain né au IVe siècle avant notre ère – il y a identité entre le monde et cette raison divine : c'est la doctrine panthéiste (du grec *pan*, « tout » et *theos*, « dieu »). Cette identité entre le divin et l'univers ou la nature sera aussi au cœur de la pensée de certains penseurs de la Renaissance, tel Baruch Spinoza.

Outre les stoïciens, les penseurs qui ont le plus influencé l'histoire de la philosophie par leur conception du divin sont Platon et Aristote. Platon a vécu au tournant des Ve et IVe siècles avant notre ère. Disciple de Socrate, il fonde sa propre école, l'Académie. Dans son récit de la naissance du monde (cosmogonie), le *Timée*, il évoque un dieu bon qui modèle le monde à partir d'une matière chaotique préexistante. Difficile de savoir si Platon croit en ce dieu artisan, ou s'il s'agit d'une allégorie. Ce qui est plus clair, c'est la conception du divin qu'il développe notamment dans *La République* : il existe un monde divin des idées (ou des formes) auquel l'homme a accès par sa raison, alors que la réalité que nous observons par nos sens est trompeuse ; le travail philosophique consiste donc à sortir de la caverne, où nous ne voyons que les ombres de la réalité, pour accéder à la vraie connaissance des idées divines, immuables et parfaites, le Bien en soi, le Beau, le Vrai, le Juste, etc. Platon précise encore que l'idée de Bien est supérieure à toutes les autres, qu'elle est « indéfinissable » et « au-delà de l'être ». Les Pères de l'Église verront évidemment dans ce « Bien suprême » une figure du Dieu biblique. Il n'y a cependant chez Platon aucune idée de révélation d'un Dieu personnel, plutôt celui d'un monde divin constitué de plusieurs formes (on pourrait dire aujourd'hui d'« archétypes ») et auquel nous accédons par la raison. Aristote, son plus célèbre disciple, restera vingt ans à l'Académie avant de fonder le Lycée, sa propre école. Il est également le précepteur du fameux Alexandre le Grand. Comme la plupart des penseurs grecs, Aristote pense que les corps célestes (les planètes, les étoiles) sont divins parce que parfaits et non corruptibles. Mais il va plus loin en précisant dans sa *Physique* qu'il existe nécessairement un « premier moteur immobile » qui explique le mouvement cosmique. Dans sa *Métaphysique*, il affirme aussi la bonté de ce principe premier qu'il qualifie d'« acte pur » (toujours en plénitude de tout ce qu'il peut être) et de « cause finale » de tout ce qui existe, exerçant une attraction sur tous les êtres.

MD – On peut dès lors comprendre pourquoi Aristote a fasciné tant de théologiens juifs, chrétiens ou musulmans.

FL – En effet. Il a forgé par sa raison la conception d'un être premier, « souverain Bien », qui ressemble fort au Dieu transcendant et bon de la révélation biblique et coranique. Mais encore une fois, il ne s'agit pas pour Aristote d'une personne que l'on prie ou à qui on rend un culte, mais d'un principe qu'on peut contempler par le noos, l'intellect divin qui est en nous. Et dans son *Éthique à Nicomaque*, le philosophe explique que la contemplation divine est l'activité qui rend l'homme le plus heureux.

Il faudrait encore dire un mot des philosophes néo-platoniciens, dont Plotin (qui vécut au IIIe siècle de notre ère) est le principal représentant. Plotin affirme l'existence de trois principes supérieurs d'où découle le monde sensible : l'Un, l'Intelligence (le noos) et l'Âme. L'Un est le principe ultime. Il est transcendant, indéterminable, immuable, parfaitement bon et se suffit à lui-même. L'Intelligence émane de l'Un comme lieu du pensable, de l'intelligible, de la vérité. L'Âme enfin émane de l'Intelligence comme principe d'unité et d'animation du monde sensible. Il existe une âme du monde et une âme propre à chaque être vivant. La conception plotinienne du divin (l'Un) se distingue également du monothéisme classique en ce qu'il est conçu comme un principe d'où émanent nécessairement d'autres principes (l'Intelligence et l'Âme) qui régissent le monde sensible, alors que le Dieu des monothéismes est un être qui crée volontairement et librement le monde ; le créateur et la création sont dès lors distincts. Ce n'est pas le cas du principe divin de Plotin qui est à la fois transcendant et totalement immanent au monde : il est partout.

MD – Il n'y a donc pas de philosophes athées dans l'Antiquité ?

FL – C'est exact. Il y a des penseurs spiritualistes, comme Platon, ou matérialistes, comme Épicure, mais aucun n'affirme qu'il n'y a assurément aucun dieu ou principe divin. On a accusé Épicure d'athéisme parce qu'il critiquait le culte superstitieux des dieux de la cité, mais pour lui les dieux existaient bel et bien. Ils étaient simplement étrangers à notre monde. On se devait de prendre en exemple leur sérénité et leur impassibilité, mais pas de les prier ou de les craindre. Son disciple romain Lucrèce a, lui aussi, écrit des pages extrêmement critiques à l'égard de la religion. Pour autant, il ne remettait pas en cause l'existence de dieux lointains. Même Protagoras, que l'on considère généralement comme athée, était en fait un agnostique, puisqu'il soutenait au sujet des dieux qu'on ne pouvait « affirmer ni qu'ils existent ni qu'ils n'existent pas ». Encore une fois, il est important de distinguer les dieux, Dieu ou le divin des philosophes de l'Antiquité, du Dieu de la Bible. Si Épicure, Platon ou Aristote avaient eu connaissance du Dieu biblique, il est probable qu'ils l'auraient trouvé trop humain pour être vrai. Leur principal souci, comme je l'ai expliqué, était de sortir de la vision anthropomorphique des mythes pour découvrir un principe premier qui échappe à la contingence du monde. Quitte ensuite à affirmer, comme le fait Aristote, qu'il peut y avoir une certaine identité entre ce principe supérieur, cet être suprême, et « ce que les traditions religieuses appellent du nom de Dieu ». Mais l'idée d'une création du monde *ex nihilo* par la seule volonté libre d'un Dieu tout-puissant, bon et omniscient, qui se révèle aux hommes à travers des prophètes, est tout à fait étrangère à la pensée grecque.

MD – Ce qu'on peut quand même retenir, c'est que pour les philosophes grecs, l'existence des dieux ou de Dieu est accessible à la raison humaine. Leur posture reste davantage celle de penseurs que de croyants.

FL – Absolument. La raison humaine peut, selon eux, conduire à postuler l'existence d'un monde divin, et cela tout simplement parce qu'il existe en l'homme une étincelle divine : que ce soit le noos ou le logos. La contemplation – de l'Âme du monde pour les stoïciens, du souverain Bien pour Platon et Aristote, de l'Un pour Plotin – est dès lors considérée comme la plus noble activité humaine.

MD – Puis la théologie chrétienne va bouleverser totalement, pendant près de mille ans, l'histoire de la pensée en Occident.

FL – La dernière grande école philosophique de l'Antiquité, l'Académie platonicienne, est contrainte par le très chrétien empereur Justinien de fermer ses portes à Athènes au milieu du VIe siècle de notre ère. Elle subsistera à peine un siècle de plus à Alexandrie. Et c'est vrai qu'il faudra attendre le XVe siècle et la redécouverte des textes grecs pour qu'une pensée philosophique autonome de la théologie chrétienne tente timidement d'émerger à nouveau en Europe.

Entre-temps, la philosophie devient « servante » de la théologie. On utilise ses concepts, sa logique, ses catégories pour mieux comprendre la révélation divine. L'évangéliste Jean en a très tôt donné l'exemple en reprenant le concept de logos pour l'appliquer au Christ dans son fameux prologue : « Au commencement était le logos, et le logos était auprès de Dieu et le logos était Dieu. » Plusieurs Pères de l'Église poursuivent dans cette voie, mais c'est surtout au XIIIe siècle, avec la redécouverte de Platon et d'Aristote, principalement à travers les penseurs arabo-musulmans (Avicenne, Averroès), que les théologiens chrétiens vont déployer leur science en s'inspirant des catégories philosophiques de ces deux grands génies de l'Antiquité. Saint Thomas d'Aquin, dont la *Somme théologique* est une cathédrale de la pensée, cite sans doute au moins autant Aristote que saint Augustin, qui est pourtant la plus grande autorité théologique pour les penseurs du Moyen Âge. Cependant, il le fait dans une perspective de croyant : la philosophie a perdu son autonomie, elle ne recherche plus la vérité, mais se met au service de la Vérité révélée. En même temps, cela manifeste l'importance que la pensée chrétienne accorde à la raison humaine. Si elle admet que Dieu (entendu : le Dieu révélé dans la Bible) ne peut être pleinement atteint que par la foi, la théologie considère que la raison est un don précieux de Dieu qui peut lui permettre de découvrir son existence et qui doit aider le croyant à être plus intelligent dans sa foi et à comprendre le monde. Mais elle affirme aussi que la raison ne peut et ne doit en rien contredire ou s'opposer à la foi qui lui est supérieure parce que donnée par Dieu pour le salut des hommes. De fait, le conflit entre foi et raison émergera à la Renaissance, lorsque les premiers scientifiques se libéreront de l'autorité de la Bible pour tenter d'appréhender le monde par les seules ressources de la raison.

MD – Comment les penseurs juifs et musulmans font-ils cohabiter la foi et la raison ?

FL – La pensée juive antique a un éminent représentant en la personne de Philon d'Alexandrie, qui a établi de nombreuses passerelles entre la foi juive et la philosophie grecque. Le plus grand penseur juif du

Moyen Âge, Maïmonide, affirme au XIIe siècle que la connaissance de Dieu par la raison est impossible. Seule la foi permet de suivre la « trace » de Dieu. Mais il affirme aussi, comme les théologiens chrétiens, que la raison permet de percevoir Dieu par ses œuvres et qu'il est bon d'étudier la métaphysique, l'astronomie, la médecine, la physique, etc., comme autant de savoirs qui nous renseignent sur les lois du monde créé par Dieu. On retrouve aussi cette incitation à l'usage de la raison chez les grands penseurs musulmans médiévaux, fortement influencés par la philosophie de Platon, et surtout d'Aristote, avant d'en transmettre le virus aux théologiens chrétiens. Ils utilisent les catégories conceptuelles forgées par les philosophes grecs pour parler non seulement du monde créé, mais aussi des attributs divins. L'un des plus fameux d'entre eux, le philosophe andalou Averroès, contemporain de Maïmonide, dit que « le vrai ne peut contredire le vrai » pour justifier sa double étude de la révélation coranique et de la philosophie d'Aristote, qu'il accepte l'une et l'autre comme deux expressions différentes de la vérité.

MD – Que disent de Dieu les philosophes modernes à partir de la Renaissance ? Sont-ils athées ?

FL – Pas du tout ! Il faudra attendre le XVIIIe siècle et plus encore le XIXe siècle pour que se développe un athéisme philosophique. Les philosophes de la Renaissance se passionnent pour la philosophie grecque, surtout néoplatonicienne, mais ils restent encore très liés à la pensée chrétienne dominante. C'est avec Descartes, philosophe pourtant profondément croyant, que la philosophie va commencer à s'émanciper de la théologie et repartir sur des bases nouvelles. Descartes entend faire table rase du passé, sortir de la pensée scolastique médiévale, mauvais mélange de philosophie et de théologie, pour refonder la connaissance sur le socle de l'expérience. Il va donc fonder une nouvelle méthode qui permette de rechercher le vrai sans aucun a priori. Son souci est de rendre la raison la plus efficace possible dans sa quête de la vérité et, pour cela, il commence par la libérer de la tutelle de la foi. Sa démarche, qui peut nous paraître aujourd'hui naturelle, est au XVIIe siècle révolutionnaire et elle favorisera non seulement le développement de la philosophie moderne, mais aussi celui de la science. Pourtant, et c'est tout le paradoxe de Descartes, il est encore si imprégné de la métaphysique chrétienne qu'il ne peut s'empêcher de chercher à prouver de manière rationnelle l'existence de Dieu.

MD – Par quels arguments ?

FL – Ce qu'on appelle la « preuve ontologique ». Dieu est pensé comme l'être le plus parfait qui soit, or comme il est plus parfait d'exister que de ne pas exister, il en découle nécessairement que Dieu existe, donc la seule pensée de Dieu comme être parfait implique son existence ! L'argument ne m'a jamais convaincu et je ne suis pas sûr qu'il ait convaincu grand monde, mais Descartes lui accordait une valeur au moins aussi grande qu'à une démonstration mathématique. À sa suite, bien d'autres philosophes tenteront d'apporter des preuves de l'existence de Dieu. Le plus célèbre d'entre eux est Leibniz, qui essaie d'apporter une preuve plus élaborée, appelée la « preuve cosmologique ». Compte tenu du principe de « raison suffisante » selon lequel rien n'existe sans cause, il explique que le monde est contingent, non nécessaire, ce qui postule l'existence d'une cause extérieure à lui-même ; on en vient donc à poser comme cause du monde l'existence d'un être acausal, qui n'a plus besoin d'une autre raison, et c'est cet être absolument nécessaire que l'on appelle « Dieu ». Cet argument a une certaine force.

MD – Mais pourquoi faudrait-il qu'il y ait une raison suffisante, une cause à tout ?

FL – On peut dire en effet que la faiblesse de cet argument est son postulat même. On peut imaginer une suite de causes et d'effets qui remontent à l'infini sans qu'il n'y ait jamais un être nécessairement à l'origine de tout. C'est par exemple ce que pensent les bouddhistes : la loi de causalité (le karman) est à l'œuvre partout et toujours, mais elle est sans commencement.

Il faudrait dire un mot encore de la troisième grande preuve de l'existence de Dieu avancée par les métaphysiciens : la « preuve physicothéologique ». Elle part de l'observation de l'ordre et de la complexité du monde et conclut à la nécessité d'une intelligence créatrice et ordonnatrice. C'est sans aucun doute l'argument le plus pertinent et en même temps le plus simple, car nous pouvons tous faire le constat de la beauté du monde, de son harmonie, de sa complexité. Certains en concluront que tout cela ne peut être le fruit du hasard, qu'il y a nécessairement une intelligence supérieure à l'origine de l'univers. Cet argument d'une grande force, déjà employé par Platon ou les stoïciens, est repris par nombre de penseurs déistes des XVIIe et XVIIIe siècles, à commencer par Voltaire : « L'univers m'embarrasse et je ne puis songer que cette horloge existe et n'ait point d'horloger. » Il resurgit sous de nouvelles couleurs de nos jours, avec la découverte du big bang et les progrès de l'astrophysique, sous la forme du « dessein intelligent » : l'extraordinaire ordonnancement des lois physiques qui ont permis le développement de la vie sur terre et l'apparition du cerveau humain témoigne d'un dessein, d'un plan préétabli, donc d'une intelligence créatrice. Nous reviendrons sur les débats que suscite cette thèse lorsque nous parlerons de la science face à Dieu, mais je soulignerai d'ores et déjà ici une limite de la preuve physicothéologique : il n'y a pas que de la beauté, de l'ordre et de l'harmonie dans le monde, il y a aussi du désordre, du contingent, du hasard, du mal, de l'horreur. Pourquoi un être absolument bon et parfait aurait-il créé un monde si imparfait, aussi beau soit-il à maints égards ?

MD – C'est ce que j'allais vous dire : la seule existence du mal, des catastrophes naturelles, des génocides, ou même la seule souffrance d'un enfant innocent, comme disait Camus, semble rendre cet argument intenable. Que répondent les métaphysiciens et les théologiens à la question du mal ?

FL – Leibniz n'a pas esquivé l'objection. Dans ses *Essais de théodicée* (1710), il aborde directement la question : comment comprendre, si Dieu existe et qu'il est bon, qu'il y ait tant de mal, de méchanceté, d'horreur, de misère sur terre ? Parce que le monde n'est pas Dieu, il ne peut être parfait. Parce que l'homme est libre, il pourra toujours choisir de faire le mal. Et Leibniz, qui est aussi mathématicien, tente de montrer que Dieu choisit parmi les innombrables mondes possibles, avec toutes leurs combinaisons de biens et de maux, d'ombre et de lumière, le plus parfait des mondes possibles. Voltaire se moquera de lui dans son *Candide* (1759) à travers la figure du Professeur Pangloss qui ne cesse de répéter, alors que tout va mal : « Tout va pour le mieux dans le meilleur des mondes possibles ! » Mais l'argument de Leibniz est loin d'être aussi irénique qu'il n'y paraît. On peut en effet imaginer que Dieu ait choisi ce qu'il y avait de mieux à l'intérieur de ce qui était possible, compte tenu des contraintes de la création : les lois de l'univers physique, l'alliance de l'esprit et de la matière, les contingences du temps et de l'espace, le libre arbitre de l'homme, etc. Cette idée est exprimée de diverses manières par de nombreux penseurs juifs ou chrétiens. La kabbale juive, par sa théorie du *tsimtsum*, explique ainsi que par son acte créateur, Dieu s'est vidé de sa divinité, qu'il s'est retiré du monde afin qu'autre chose que lui puisse exister. En créant, Dieu accepte de n'être pas tout, il se diminue afin de permettre au monde et à d'autres êtres d'exister. Le mal existe donc nécessairement de cet état nécessaire d'imperfection qu'est le monde. Car s'il était parfait, le monde serait Dieu et rien ne pourrait exister en dehors de lui. La philosophe Simone Weil reprendra cet argument en développant le thème déjà évoqué par saint Paul dans son épître aux Philippiens (2,7) : celui de l'anéantissement de Dieu (*kenosis*, en grec) à travers le mystère du Christ qui, « de condition divine », « s'anéantit » jusqu'à devenir homme et mourir sur la croix. Cet abaissement de Dieu montre qu'il renonce à ses attributs de toute-puissance pour prendre sur lui le mal, à travers la passion du Christ.

MD – Il n'en demeure pas moins que lorsque l'on est confronté à la souffrance dans toute sa violence, ces arguments théologiques peuvent sembler vains.

FL – Il est vrai que l'argument du libre arbitre ne convainc pas, car bien des maux ne proviennent pas des hommes mais de la nature : maladies, tremblements de terre, etc. Bien sûr, on pourrait envisager, comme certains penseurs grecs, l'existence d'un monde divin impersonnel indifférent aux hommes. Mais comment concilier l'idée biblique d'un Dieu tout-puissant et entièrement bon, qui s'occupe des hommes, lorsque l'on voit un enfant mourir dans d'affreuses souffrances ou des centaines de milliers de personnes, aux existences si différentes, périr en même temps dans un cataclysme ? Où sont alors la bonté et la justice, attributs fondamentaux du Dieu révélé ? Épicure avait bien posé le problème : ou bien Dieu veut éliminer le mal et ne le peut, alors il est impuissant ; ou bien il le peut, mais ne le veut, alors il est méchant ; ou bien il ne le peut et ne le veut, et il est impuissant et méchant. Et de conclure : « S'il le peut et le veut, ce qui convient seul à Dieu, d'où vient donc le mal, ou pourquoi Dieu ne le supprime-t-il pas ? » (*Essais de théodicée.*)

MD – Et la réponse des religions, c'est l'au-delà.

FL – Oui, elles n'ont finalement pas d'autre issue que de postuler l'existence d'une autre vie dans un au-delà de ce monde, où la bonté et la justice de Dieu s'exprimeront pleinement et répareront ce que les erreurs de la nature ou de la volonté humaine auront brisé. Autrement dit, on ne peut comprendre cette vie ici-bas qu'en se référant à une existence supérieure qui nous attend tous après la mort. Cette croyance n'est pas propre aux monothéismes. Comme d'autres penseurs grecs, Socrate croyait en l'immortalité de l'âme et en une vie bienheureuse après la mort. Comme je l'ai déjà dit, il a même affirmé à ses disciples qu'il endurait l'injustice de sa condamnation à mort et maintenait son âme ferme et sereine parce qu'il espérait retrouver après sa mort la compagnie des dieux et des âmes vertueuses. Platon, dans son fameux mythe d'Er (*République*, X), avance l'hypothèse de la réincarnation. Cette croyance en une succession de vies est partagée non seulement par les bouddhistes et les hindous, mais aussi par de nombreux peuples de religion de type chamanique. La croyance en la transmigration des âmes a l'avantage d'expliquer pourquoi telle personne a de la chance et pourquoi telle autre est accablée par le malheur : l'une et l'autre retirent les fruits positifs ou négatifs des actes commis dans des vies antérieures. Et l'interruption brutale d'une vie (la mort d'un enfant en bas âge notamment) ne pose pas plus de problème, puisqu'il lui sera donné une nouvelle chance dans une existence ultérieure. Tandis que les monothéismes, qui affirment que chaque être humain ne vit qu'une fois avant de ressusciter dans l'au-delà, n'ont pas de réponse satisfaisante à ces questions : quel sens peut avoir la vie d'un enfant mort en bas âge, avant même qu'il ait pu exprimer sa personnalité et exercer son libre arbitre ? Pourquoi certains hommes sont-ils accablés par le malheur et d'autres comblés par la vie ?

MD – Pour revenir à la question du lien entre foi et raison, j'aimerais que vous nous disiez un mot de Pascal et de son fameux pari. Est-ce une autre « preuve » de l'existence de Dieu ?

FL – On le croit souvent, mais en fait il n'en est rien. Au XVIIe siècle, Pascal est au contraire persuadé que la raison ne peut atteindre Dieu. Il réagit contre

Descartes et les métaphysiciens en rappelant que Dieu ne peut être qu'objet de foi. Le Dieu des philosophes le fait sourire. Lui croit au « Dieu d'Abraham, d'Isaac et de Jacob », au Dieu qui se révèle dans la Bible et qu'on accueille dans le cœur et non par la raison. Pascal, autant qu'un esprit scientifique et un philosophe de génie, est avant tout un fervent chrétien qui a été bouleversé par Jésus. Il a passé en solitaire une bonne partie de sa brève existence, auprès des jansénistes du couvent de Port-Royal. Dès lors il insiste sur la dimension affective de la foi. Dieu parle d'abord au cœur et la seule « preuve » que l'on pourrait à la rigueur apporter de son existence n'est pas un argument rationnel : c'est la sainteté absolue du Christ et la grandeur des saints. La foi est fondée sur un témoignage qui touche le cœur et non sur une explication logique. Son pari n'est donc en rien une preuve logique de l'existence de Dieu.

MD – À qui s'adresse Pascal alors ?

FL – Aux libertins, à ceux qui affirment qu'une vie consacrée aux plaisirs vaut mieux qu'une vie conforme à la morale chrétienne. Il veut leur montrer, à partir d'un argument rationnel, que leur intérêt serait au contraire de vivre en conformité avec les préceptes de la religion. Pour cela, il leur propose un pari, mais un pari parfaitement sensé puisqu'il repose sur le calcul des probabilités, une nouvelle branche des mathématiques qu'il vient d'inventer. Un pari est avantageux si le gain raisonnablement possible est plus important que la mise initiale, par exemple si je mise dix euros avec une chance sur deux de gagner cent euros. Pascal applique ce raisonnement à la vie humaine, considérant l'existence terrestre comme la mise et la vie éternelle et bienheureuse comme l'enjeu du pari. Partant du principe que l'on ne peut pas prouver que Dieu existe, mais qu'il y a une chance sur deux qu'il existe, il affirme qu'il est infiniment plus raisonnable et avantageux de parier sur l'existence de Dieu et de vivre en chrétien pour gagner la vie éternelle, plutôt que de miser sur la non-existence de Dieu et de vivre en libertin, au risque de perdre la vie éternelle. Autrement dit, avec une mise finie, on a une chance sur deux de gagner l'infini et donc beaucoup plus à gagner qu'à perdre. Il est évident que Pascal n'a jamais fondé sa vie sur un tel pari, puisqu'il était convaincu que la foi était un don de Dieu et que le salut s'obtenait par la grâce divine. Mais par cet argument, il entendait déstabiliser le discours des libertins qui affirmaient qu'on avait tout à gagner et rien à perdre en ne recherchant que les jouissances de cette vie.

MD – Quant aux philosophes des Lumières, qui critiquent la religion mais dont bien peu sont athées, quelle conception ont-ils de Dieu ?

FL – La plupart sont déistes, un peu à la manière des philosophes de l'Antiquité. C'est-à-dire qu'ils croient en l'existence d'un principe créateur qui ordonne l'univers, mais pas en un Dieu personnel qui se révèle aux hommes par les prophètes et les textes sacrés (le théisme). La plupart critiquent violemment le théisme comme une superstition inventée par les prêtres pour asseoir leur pouvoir. Les philosophes des Lumières sont donc avant tout anticléricaux et récusent l'idée d'une révélation, d'une morale venue du ciel, d'un peuple élu par Dieu (ce qui leur fait parfois tenir des propos violemment antisémites). S'ils admirent Jésus et son message, ils le considèrent davantage comme un sage ou un moraliste exceptionnel que comme le fils de Dieu. Il faut dire que les penseurs des Lumières arrivent au XVIIIe siècle dans une Europe meurtrie par près de deux siècles de guerres sanglantes entre catholiques et protestants. Leur principal objectif est de sortir le monde des guerres de religion. L'ennemi à abattre, c'est l'intolérance, c'est le fanatisme qui fait que les hommes s'entretuent au nom de leurs croyances religieuses. L'athéisme militant qui commence à naître est d'ailleurs assez mal vu, car il est perçu comme trop intolérant. Locke considère ainsi que les athées sont aussi dangereux pour la cité que les catholiques romains, parce que tout aussi dogmatiques ! Qu'ils soient chrétiens, déistes, francs-maçons (qui se partagent à l'époque entre chrétiens théistes et déistes), beaucoup plus rarement juifs (Mendelssohn) ou athées (Diderot), les philosophes des Lumières croient en l'universalité de la raison et au progrès. Ils militent pour que l'homme s'émancipe de l'ignorance et du fanatisme par l'usage de sa raison et pour la mise en place d'institutions étatiques et juridiques qui préservent la liberté de conscience et d'expression des individus. Ce sont les intellectuels militants de la démocratie moderne et des droits de l'homme. D'où leur lutte implacable contre la religion, et surtout la religion catholique qui était beaucoup plus réfractaire à ces idées que le protestantisme, par nature plus démocratique et séculier.

MD – Ils se battent donc pour séparer le religieux du politique, mais pas nécessairement la foi de la raison ?

FL – En effet. Mais sur cette question du rapport entre foi et raison, ils ne s'accordent pas entre eux. Nous avons vu que certains, comme Voltaire, pensent que la raison conduit à poser l'existence d'un « horloger », c'est-à-dire d'un « grand architecte de l'univers ». L'expression connaît d'ailleurs un vif succès dans la franc-maçonnerie, cette société secrète née au début du siècle des Lumières et qui en exprime les principaux idéaux : déisme débarrassé de la superstition religieuse, morale rationnelle, esprit de fraternité, foi dans le progrès de l'humanité, mais aussi initiation spirituelle à travers un univers symbolique foisonnant. Tous les penseurs des Lumières cependant ne sont pas convaincus que la raison puisse atteindre l'existence de Dieu. Le plus illustre d'entre eux, Emmanuel Kant, porte même un coup décisif à la métaphysique en publiant son ouvrage magistral : *Critique de la raison pure* (1781). Le livre entend répondre à la question : « Que puis-je savoir ? » Et Kant montre que la raison ne peut ni prouver que Dieu existe ni prouver qu'il n'existe pas. Sur ce point, il y a un avant et un après Kant dans l'histoire de la philosophie. Le cadre méthodologique qu'il a apporté à cette question est si rigoureux et ses conclusions si convaincantes que tout penseur ultérieur qui affirme détenir une preuve de l'existence ou de la non-existence de Dieu apparaît suspect. Non pas qu'on ne puisse pas être convaincu de l'une ou l'autre assertion, mais Kant distingue parfaitement les divers registres que sont l'opinion, la foi (ou la conviction) et la preuve. Or la question de Dieu relève toujours soit de l'opinion (si elle est faiblement soutenue), soit de la foi/conviction (si elle est fortement soutenue). La religion comme l'athéisme relèvent donc de l'opinion, de la foi ou de l'intime conviction, c'est-à-dire de la *croyance*, mais jamais du *savoir,* qui ne peut offrir que des propositions universellement vraies et démontrables à tous.

MD – Ce qui m'amène naturellement à poser la même question à propos de la science : peut-elle prouver l'existence ou la non-existence de Dieu ?

FL – Si Kant a apporté une redéfinition lumineuse et précieuse de la connaissance, plusieurs penseurs avaient déjà clairement distingué la croyance du savoir, l'ordre de la religion et celui de la science. Nous l'avons évoqué avec Pascal, qui était à la fois un grand croyant et un grand savant, mais c'était le cas aussi de Galilée qui affirmait que la science et la religion répondent à deux questions d'un ordre différent et qu'elles ne sauraient entrer en conflit : la religion nous dit « comment on doit aller au ciel » alors que la science nous dit « comment va le ciel ». Il a finalement été condamné par l'Église justement parce que l'Église entretenait encore à son époque la confusion entre science et religion et pensait que la Bible disait la vérité sur tout, y compris sur les lois de la nature. L'affaire Galilée aura pour conséquence de remettre les pendules à l'heure sur cette question, puisque l'Église catholique admet parfaitement aujourd'hui que son champ de compétence se limite à la question du salut et que la Bible, qui affirme par exemple que Dieu a créé le monde en sept jours, n'est pas un ouvrage à prétention naturaliste ou scientifique.

MD – L'Église catholique peut-être, mais pas les fondamentalistes protestants américains, par exemple, qui récusent la théorie de l'évolution de Darwin au nom du créationnisme biblique...

FL – Vous avez tout à fait raison. Il existe aux États-Unis dans la mouvance évangélique, mais aussi dans le monde juif et musulman, tout un courant fondamentaliste qui, au nom d'une lecture littérale de la Bible ou du Coran, rejette certaines théories scientifiques admises par tous. La théorie darwinienne en est un bon exemple, laquelle n'est pas enseignée dans nombre d'écoles religieuses aux États-Unis, notamment parce qu'elle met à mal les Écritures sacrées en affirmant une continuité entre le monde humain et le monde animal. Pour les créationnistes, si l'homme descend du singe, il n'est donc pas directement créé par Dieu comme l'affirment la Bible et le Coran.

MD – Et que pensez-vous de la théorie du « dessein intelligent » que certains considèrent comme une preuve scientifique de l'existence de Dieu ?

FL – Il existe deux versions de l'*intelligent design*, et la confusion entre les deux pollue considérablement le débat. La version « hard » est proche des thèses créationnistes que nous venons d'évoquer : elle affirme que Dieu a créé l'homme par une intervention directe. Mais contrairement au créationnisme, elle ne nie pas l'essentiel de la théorie darwinienne de la longue évolution des espèces, elle affirme simplement que les lois de la nature ne suffisent pas à expliquer les mutations fondamentales que sont l'apparition de la vie et celle de l'homme. Autrement dit, une intelligence créatrice a donné un petit coup de pouce à la nature aux moments cruciaux de l'évolution. L'homme descend de bien d'autres animaux, mais sans intervention divine son cerveau d'une extrême complexité n'aurait pas pu se développer. Ces thèses néocréationnistes se sont développées au début des années 1990 autour du Discovery Institute à Seattle. Il existe une autre version du dessein intelligent, beaucoup plus « soft », qui ne fait pas appel à une intervention divine spécifique au cours de l'évolution : celle du « principe anthropique ». Cette thèse est née au début des années 1980, lorsqu'on a commencé à disposer d'ordinateurs puissants permettant de simuler l'évolution de l'univers. On s'est alors rendu compte que si l'on modifiait n'importe laquelle de ses constantes fondamentales, l'univers s'effondrerait et n'aurait jamais pu permettre le développement de la vie et de l'homme. Certains chercheurs en ont déduit le principe anthropique (du grec *anthropos*, « homme ») selon lequel l'univers est conçu dès le départ pour favoriser le développement de la vie et du cerveau humain, au terme d'un long processus de croissance de la complexité. Partant ainsi du constat que le cosmos tend vers l'apparition de l'homme, cette thèse entend réintroduire au cœur de la science la question (mais pas la réponse) d'un principe créateur. Elle est de nos jours soutenue par certains scientifiques, tel l'astrophysicien Trinh Xuan Thuan. Ce dernier affirme ainsi que « si nous acceptons l'hypothèse d'un seul univers, le nôtre, nous devons postuler l'existence d'une cause première qui a réglé d'emblée les lois physiques et les conditions initiales pour que l'univers prenne conscience de lui-même. La science ne pourra jamais distinguer entre ces deux possibilités : l'univers unique avec un créateur ou une infinité d'univers sans créateur ». Les scientifiques admettent ce fait, mais ils se rallient en grande majorité à la seconde hypothèse évoquée par Trinh Xuan Thuan : l'existence d'une infinité d'univers ayant tous des caractéristiques différentes. Et nous serions par hasard dans le seul, ou l'un des seuls, ayant les caractéristiques nécessaires pour que la complexité ait pu se développer. C'est par exemple ce qu'affirme Stephen Hawking dans *Y a-t-il un grand architecte de l'univers ?* (2010). Mais il n'apporte pas plus de preuve que Trinh Xuan Thuan que son hypothèse est la bonne. Un seul univers orienté par un principe intelligent ? Une multitude d'univers sans intention et livrés au seul hasard ? Nous n'en savons rien, malgré les avancées prodigieuses de la connaissance scientifique. Comme le pensait Kant, la question de l'existence de Dieu ou d'un principe créateur reste bien affaire de croyance et non de savoir.

9

L'athéisme

MARIE DRUCKER – Qui sont les premiers athées qui se revendiquent comme tels en Europe ?

FRÉDÉRIC LENOIR – Le premier est parfaitement identifiable et il s'agit d'un prêtre ! L'abbé Jean Meslier, curé d'Étrépigny, un village des Ardennes. L'année de sa mort, en 1729, Voltaire publie son « testament », un texte farouchement antireligieux. Mais on découvrira plus tard l'intégralité du texte que Voltaire a censuré. Il est intitulé *Mémoire des pensées et sentiments de Jean Meslier*, qui est bien plus qu'un pamphlet contre la religion : un vrai traité argumenté niant la possibilité de toute divinité et affirmant la seule réalité de la matière. Meslier était un athée doublé d'un matérialiste, ce qui était trop, même pour Voltaire ! Il faut ensuite attendre 1768 et la publication de *La Contagion sacrée*, du baron d'Holbach, pour voir une autre profession d'athéisme. Philosophe des Lumières et scientifique, d'Holbach va beaucoup plus loin que ses pairs et récuse le théisme comme le déisme, affirmant sereinement que l'athée est « un penseur qui détruit les chimères nuisibles au genre humain pour ramener les hommes à la nature, à l'expérience, à la raison ». Il faudrait aussi mentionner Diderot, penseur et écrivain talentueux, résolument matérialiste et athée. Ayant été interné à la Bastille à l'âge de trente-six ans, il évita soigneusement par la suite de publier ses ouvrages les plus critiques envers la religion. La plupart de ses œuvres ont été publiées bien après sa mort en 1784. Ces pionniers restent donc bien isolés.

MD – Ce n'est en fait qu'au XIXe siècle, dans un contexte d'essor du savoir et d'émancipation de la société à l'égard de la religion que l'athéisme se répand et que se développe une pensée qui nie explicitement l'existence de Dieu...

FL – Une chose est sûre et il faut le formuler ici : nous ne saurons jamais ce que pensaient les gens au fond d'eux-mêmes au cours des millénaires écoulés. Dans des sociétés fondées sur des croyances collectives, que ce soit dans l'Antiquité polythéiste ou au Moyen Âge chrétien, l'individu qui rejetait la foi commune se mettait en danger. Socrate a été accusé d'impiété et Jésus est mort pour avoir dénoncé les égarements de la religion de son temps. Or ils étaient profondément religieux ! S'il était si risqué de critiquer la religion, il était impossible de se dire athée, de rejeter le culte de Dieu ou des dieux sans encourir la mort ou le bannissement. Cela a perduré en Europe jusqu'au XVIIIe siècle, et même en Espagne jusqu'au XIXe siècle – la dernière victime de l'Inquisition espagnole fut un instituteur déiste pendu à Valence le 26 juillet 1826. Si la liberté de conscience et d'expression avait existé, il y aurait sans doute eu de nombreux témoignages d'athéisme.

Deuxième précision à faire : il est difficile de savoir

si on peut classer les penseurs panthéistes dans la catégorie de l'athéisme. Les stoïciens peuvent-ils être considérés comme des athées ? Peut-être dans la mesure où ils n'adhèrent pas à l'idée d'un Dieu créateur extérieur au monde. Néanmoins, ils croient en un logos, une raison universelle qui gouverne un monde qui est bon et parfaitement ordonné, ce qui n'est pas éloigné de la conception monothéiste de la providence divine. Spinoza est-il athée ? Il rejette assurément l'origine divine de la Bible et les dogmes religieux. Il identifie explicitement Dieu à la Nature (*Deus sive Natura*) et rejette l'idée d'un Dieu personnel au sens biblique, mais sa philosophie repose sur l'idée d'une immanence divine qui est aux antipodes d'un pur matérialisme. Plutôt que de réduire Dieu à la matière, Spinoza opère davantage une transmutation de la réalité physique en substance divine.

Troisième précision importante : nous parlons de l'Occident. Or, comme nous l'avons vu précédemment, il existe des civilisations entières, en Asie notamment, où l'idée de Dieu comme personne qui se révèle ou comme principe créateur est absente. Il existe donc, dans ces cultures, un « athéisme de fait », qui n'est pas une négation raisonnée ou virulente de Dieu, comme cela est le cas en Europe au sortir des Lumières, mais simplement une religiosité qui se manifeste d'une autre manière que par la croyance en Dieu. Même le bouddhisme, que l'on présente volontiers de nos jours en Occident comme une philosophie athée, ne se préoccupe pas de Dieu. Le Bouddha ne nie pas l'existence d'un être créateur, il dit simplement que l'existence d'un tel être est inaccessible à la raison et à l'expérience et qu'il vaut mieux se préoccuper de soigner la souffrance existentielle que de spéculer sur les questions métaphysiques. Un jour, le moine Culamalukyaputta interroge le Bouddha sur Dieu, l'univers, l'origine du monde et le menace de quitter la communauté s'il n'obtient pas de réponses à ses questions. Le Bouddha lui répond en lui racontant cette parabole : un homme est blessé par une flèche empoisonnée et exige, avant d'être soigné, de connaître le nom et la caste de l'archer, la distance à laquelle il se trouvait, ainsi que le bois dont est faite la flèche ; l'homme meurt avant d'avoir obtenu une réponse à ses questions. Plutôt que de spéculer vainement, dit le Bouddha, retirons la flèche, trouvons la nature du poison et son antidote, puis refermons la plaie. Perdre son temps à spéculer sur la nature de l'Absolu n'est d'aucune utilité pour qui veut être sauvé. L'assimilation entre bouddhisme et athéisme s'est faite au milieu du XIXe siècle, quand les premiers textes fondamentaux de cette tradition ont enfin été traduits à partir du pali et du sanskrit. Comme l'a très bien montré Roger-Pol Droit dans *Le Culte du néant* (1997), les intellectuels occidentaux se sont alors piqués de bouddhisme pour le louer ou le critiquer, selon qu'ils étaient athées ou chrétiens, projetant sur lui l'athéisme qui émergeait alors en Europe.

MD – En Occident, qui sont donc les « meurtriers » de Dieu ?

FL – Bonne question ! Nietzsche l'aborde explicitement lorsqu'il parle de la « mort de Dieu ». Est-ce que ce sont des hommes sans religion ou issus d'autres religions que le christianisme qui ont tué Dieu ? Non, répond-il, ce sont les chrétiens, les « héritiers ». Après avoir tué les dieux antiques au profit d'un seul Dieu, le judéo-christianisme devient le fossoyeur de son Dieu.

Comment ? En le démasquant grâce « à la finesse de la conscience chrétienne aiguisée par le confessionnal, traduite et sublimée en conscience scientifique, jusqu'à la netteté intellectuelle à tout prix » (*Le Gai Savoir*, 1882). À force d'introspection, d'exercice de l'esprit critique envers soi-même, la raison s'affûte et finit par découvrir, au terme d'un processus séculaire, que Dieu n'existe pas... parce qu'il n'est pas croyable.

MD – En affirmant que « Dieu est mort », Nietzsche est donc l'un des premiers grands apôtres de l'athéisme moderne.

FL – Nietzsche a emprunté cette expression choc au poète allemand Johann Paul Friedrich Richter, qui écrivait sous le pseudonyme de Jean Paul. Il va lui donner un sens très fort en montrant l'ampleur de la « catastrophe » que signifie la fin de tout un système de valeurs hérité de la foi chrétienne, et plus loin encore du judaïsme et du platonisme. L'athéisme est donc pour Nietzsche l'aboutissement ultime du christianisme, « la catastrophe, exigeant le respect d'une discipline deux fois millénaire en vue de la vérité, qui finalement s'interdit le mensonge de la foi en Dieu » (*Le Gai Savoir*).

MD – Cela rejoint la célèbre formule de Marcel Gauchet : « Le christianisme est la religion de la sortie de la religion. »

FL – Absolument ! Et l'analyse de Marcel Gauchet développe avec d'autres arguments l'intuition nietzschéenne. Le titre du livre de Gauchet, *Le Désenchantement du monde* (1985), d'où est extraite cette formule, est tiré d'une expression du sociologue Max Weber qui signifie de manière littérale la « démagification du monde » (*Entzauberung der Welt*). Weber montrait que le judaïsme puis le christianisme avaient accéléré un processus de « rationalisation » qui a fait perdre au monde son aura magique : le monde n'était plus un jardin enchanté traversé de fluides et habité d'esprits, mais la création ordonnée d'un Dieu unique qui enseignait une manière rationnelle de vivre à travers l'éthique. Si Weber insiste sur la démagification du monde, Nietzsche, partant de la même idée, la fait aboutir à la démystification de Dieu. Ces deux phénomènes ont été produits par un processus interne au judéo-christianisme qui s'est retourné contre lui-même. C'est pourquoi on peut en effet dire que le christianisme a été la « religion de la sortie de la religion ».

MD – Il est quand même assez stupéfiant qu'une religion porte en elle les germes de son autodestruction !

FL – Si on regarde la religion du seul point de vue institutionnel et cultuel, bien sûr ! Mais comme Nietzsche et Weber le font remarquer, le judaïsme et le christianisme ont aussi favorisé le développement de la raison et de l'introspection critique. Ce qui au départ servait la foi s'en est un jour émancipé. Et j'ai essayé de montrer dans mon livre *Le Christ philosophe* que ce n'est pas un hasard si la modernité et ses valeurs principales de raison critique et d'autonomie du sujet sont nées en Occident et pas en Chine ou dans l'Empire ottoman. C'est parce que l'Occident était chrétien et que le christianisme, malgré l'emprise de l'Église sur la société, a développé au plus haut point la rationalité, mais aussi des notions d'égalité, de fraternité ou de respect de la dignité humaine, sur lesquelles se fonderont les droits de l'homme... en évacuant la source religieuse de ces notions évangéliques et en s'émancipant de la tutelle des institutions religieuses qui les auront en grande partie reniés au cours de l'histoire. Aussi paradoxal que cela puisse paraître au premier abord, tant religion chrétienne et modernité sont opposées dans nos esprits européens (mais beaucoup moins américains), la modernité occidentale est née de la matrice chrétienne (elle-même influencée par le judaïsme et le platonisme) dont elle s'est émancipée avant de se retourner contre elle. Un vrai thriller !

Mais pour en revenir à Nietzsche, le philosophe ne se contente pas d'annoncer la mort de Dieu, de dénoncer l'imposture d'un Dieu « incroyable, parce que trop humain ». Il cherche à en montrer les conséquences ultimes, ce qu'il appelle la « catastrophe ». Car si Dieu n'existe pas, si tout le système d'« arrière-monde » sur lequel on entendait fonder la vérité depuis Platon est un leurre, s'il n'y a que ce monde-là, que le corps et non l'âme, que le visible et non l'invisible... alors c'est aussi toute la morale judéo-chrétienne qui s'effondre et il nous faudra plusieurs siècles pour en prendre conscience, tant les conséquences sont inimaginables : « La morale s'effondre. C'est là le grand spectacle en cent actes, réservé aux deux prochains siècles en Europe, le plus redoutable, le plus problématique et peut-être aussi le plus riche d'espérance de tous les spectacles » (*La Généalogie de la morale*, 1887). Nietzsche affirme aussi que la morale humaniste héritée des Lumières n'est qu'une imposture destinée à retarder la catastrophe. Car elle repose sur les mêmes principes que la morale biblique qu'elle n'a fait que « laïciser » en remplaçant leur source d'obligation, Dieu, par la raison. Nietzsche dénonce par exemple avec force la théorie kantienne.

MD – Pourtant Kant a séparé la foi de la raison, cela aurait dû plaire à Nietzsche !

FL – Vous avez raison. Mais si Nietzsche applaudit à la mise à mort de la métaphysique opérée par Kant dans sa *Critique de la raison pure*, il condamne son sauvetage de la morale opéré dans les *Fondements de la métaphysique des mœurs* (1785) et dans la *Critique de la raison pratique* (1788) ! La *Critique de la raison pure* entendait répondre à la question : « Que puis-je savoir ? » Et nous avons vu en effet que Kant circonscrit parfaitement le champ du savoir et en exclut la question de l'existence de Dieu. Mais dans *Fondements de la métaphysique des mœurs*, paru quatre ans après la *Critique de la raison pure*, Kant entend répondre à la question : « Que dois-je faire ? » Il cherche à mettre au jour le fondement d'une morale qui ne dépende pas de l'expérience, de la tradition ou de l'éducation, toutes choses nécessairement relatives et contingentes. Une éthique pure, universelle, qui détermine la nécessité de notre devoir. Or, pour Kant, il existe une loi morale simple qui s'impose à tous de manière immédiate : « Agis seulement d'après la maxime grâce à laquelle tu peux vouloir en même temps qu'elle devienne une loi universelle. » Autrement dit, pour que mon action soit morale, je dois pouvoir transformer la règle qui me fait agir en une loi valable pour tout le monde. Par exemple, si j'hésite à porter un faux témoignage, je sais que mon acte ne sera pas moral car je ne peux rendre universelle la règle selon laquelle on doit mentir, sinon plus aucun témoignage n'a de sens et la vie en société devient impossible. Je peux donc porter un faux témoignage par intérêt personnel ou pour protéger un ami, mais en aucun cas mon acte ne sera moralement licite. Cette loi morale universelle qui est censée s'imposer à nous, Kant l'appelle l'« impératif catégorique ». Or, pour Nietzsche, l'impératif catégorique kantien est une invention grossière, un « tour de passe-passe » visant à remplacer le Décalogue divin, et qui ne sert qu'à retarder l'étape qui suit celle de la mort de Dieu : l'effondrement de la morale. Les Européens ne sont pas encore capables d'assumer leur meurtre et sa conséquence ultime : la nécessité de refonder une morale « par-delà le Bien et le Mal ».

MD – Nietzsche a-t-il livré les clés de cette nouvelle morale ?

FL – Non, car Nietzsche est avant tout un déconstructeur. Son œuvre est passionnante à lire car elle a un souffle et un style incomparables, mais elle n'offre pas de projet de reconstruction cohérent de la philosophie. Il montre les impasses de la pensée, dénonce avec talent les impostures religieuses, ironise de manière jubilatoire sur les travers des uns et des autres, mais lui-même ne propose pas un projet philosophique cohérent. Il se contredit d'ailleurs bien souvent, affirme quelque chose et son contraire, et l'assume pleinement. Pour moi, Nietzsche est plus un visionnaire, une sorte de prophète inspiré et souvent exalté des Temps modernes, qu'un philosophe rigoureux. L'effondrement psychique dans lequel il a basculé pendant les dix dernières années de sa vie est comme un symptôme de sa pensée : si on veut l'appréhender de manière rationnelle et logique, elle conduit à une impasse. Elle est traversée par un flux permanent d'irrationalité, de tensions contradictoires, de points de vue exaltés, voire mystiques. Nietzsche est un artiste de la pensée plus qu'un constructeur de concepts. Cela n'enlève rien à la pertinence de nombre de ses propos. Et pour en revenir à notre sujet, il a parfaitement vu que la mort de Dieu impliquerait à terme une refondation complète de la morale. On le voit de plus en plus de nos jours avec les questions posées par le clonage, la procréation médicalement assistée, l'homoparentalité, etc. Ne pouvant plus s'appuyer sur les morales classiques, adossées à l'ordre naturel ou à la loi religieuse, on ne peut que naviguer à vue et argumenter entre des points de vue contradictoires dont aucun n'offre une légitimité absolue, acceptable par tous. Nous sommes confrontés à un nouveau « polythéisme des valeurs », pour reprendre l'expression de Max Weber, qui succède au consensus des valeurs des sociétés religieuses traditionnelles, en l'occurrence celui du monde judéo-chrétien en train de disparaître.

MD – Nietzsche mis à part, quels ont été les grands penseurs de l'athéisme ?

FL – Je crois que les penseurs du XIXe siècle qui ont le plus argumenté en faveur de l'athéisme sont Auguste Comte, Ludwig Feuerbach, Karl Marx et Sigmund Freud. Ce sont pour moi les pères fondateurs de l'athéisme moderne et on retrouve toujours l'un ou l'autre de leurs arguments dans les propos des philosophes athées qui leur succèdent aux XXe et XXIe siècles. Ils n'abordent pas tous la question de Dieu et de sa négation par le même angle, mais ils en arrivent tous à la conclusion que la foi en Dieu constitue une profonde aliénation : aliénation intellectuelle pour Comte, anthropologique pour Feuerbach, économique pour Marx, psychologique pour Freud. Tous croient d'ailleurs, comme la plupart de leurs contemporains et à l'inverse de Nietzsche, au progrès inéluctable des sociétés humaines grâce à la raison. La religion, qui repose en Occident sur la foi en Dieu, est conçue comme un obstacle voire l'ultime obstacle, à la réalisation d'un monde offrant le meilleur de l'humain, enfin libéré de l'ignorance et de tous ses maux.

Dans son *Cours de philosophie positive* (1830-1842), Auguste Comte, que l'on considère comme le père de la sociologie, expose son athéisme à travers sa méthode positiviste. Empruntant à Turgot la théorie des trois stades de l'humanité, il affirme que l'humanité évolue du stade « théologique » (enfance), au stade « métaphysique » (adolescence), vers le stade « scientifique » ou « positiviste » (adulte). Parvenu là, l'homme cesse de se poser la question infantile du pourquoi pour ne s'intéresser qu'aux faits et au comment des choses. Les dernières œuvres de Comte sont marquées par un délire mystique dans lequel le philosophe se prend pour le pape d'une nouvelle religion positiviste – avec son catéchisme, son culte, ses saints. Sa théorie va tout de même marquer la naissance du scientisme et de l'esprit positiviste qui classe au rang de superstition toute méthode et interprétation du réel autre que celle de la science expérimentale.

Dans son ouvrage magistral *L'Essence du christianisme* (1841), qui aura une forte influence sur la pensée nietzschéenne, Ludwig Feuerbach développe la thèse selon laquelle les religions ne font que projeter sur Dieu l'essence même de l'homme : « Tu crois en l'amour comme en une qualité divine parce que toi-même tu aimes, tu crois que Dieu est sage et bon parce que tu ne connais rien de meilleur en toi que la bonté et l'entendement. » Ainsi l'homme se dépouille de ses propres qualités pour objectiver Dieu : c'est le mécanisme de l'aliénation anthropologique que Feuerbach tente avec ferveur de démontrer. Dans une perspective évolutionniste du progrès des sociétés, le philosophe allemand explique que « la religion est l'essence infantile de l'humanité qui précède le temps de la maturité philosophique, où l'homme se réapproprie enfin consciemment ce qu'il avait inconsciemment projeté sur cet Être imaginaire ».

Contemporain et lecteur passionné de Feuerbach, Karl Marx veut pousser plus loin l'analyse de son mentor et entend expliquer pourquoi l'homme a besoin de créer des dieux et de s'aliéner à des religions. Il va donc se focaliser sur l'analyse historique et économique des sociétés qui produisent l'aliénation religieuse. Dans ses célèbres *Manuscrits de 1844*, Marx explique que pour illusoire qu'elle soit, la religion constitue cependant une protestation réelle contre l'oppression socioéconomique : « La détresse religieuse est, pour une part, l'expression de la détresse réelle et, pour une autre, la protestation contre la détresse réelle. La religion est le soupir de la créature opprimée, l'âme d'un monde sans cœur, comme elle est l'esprit de conditions sociales d'où l'esprit est exclu. Elle est l'opium du peuple. » Marx entend donc passer de la critique philosophique de la religion (Feuerbach) à la critique politique d'une société injuste qui produit de la religion parce qu'elle produit du malheur. En s'attaquant aux racines du mal, l'exploitation de l'homme par l'homme, il est convaincu que l'illusion religieuse disparaîtra d'elle-même avec les derniers exploités. Dieu s'évanouira avec la fin des conditions historiques qui l'ont produit.

MD – Et le plus radical de tous est Freud.

FL – En tout cas celui dont la critique continue de porter avec le plus de force. De *Totem et Tabou* (1913) à *Moïse et le monothéisme* (1939) en passant par *L'Avenir d'une illusion* (1927), la critique de la religion de Sigmund Freud emprunte à Feuerbach la thématique du caractère infantile et aliénant de l'attitude religieuse, conçue comme projection du psychisme humain sur des forces supérieures. Tandis que Marx cherche l'explication de cette attitude dans l'analyse économique des sociétés et des conflits sociaux, Freud entend les mettre au jour par l'étude des conflits du psychisme humain. Partant de son expérience empirique de thérapeute, sa théorisation progressive des lois de l'inconscient lui fournit des arguments pour tenter de démontrer le caractère profondément illusoire de la religion. Son argument qui me semble le plus puissant est le suivant : c'est pour parer aux attaques de l'angoisse – le « désemparement » – que l'homme invente un Dieu bon, substitut de la protection parentale qu'il perçoit comme défaillante, mais aussi la croyance en la vie éternelle. Freud en vient ainsi à considérer la genèse psychique des représentations religieuses comme des « illusions, accomplissements des souhaits les plus anciens, les plus forts et les plus pressants de l'humanité ; le secret de la force, c'est la force de ces souhaits ». La psychanalyse est la meilleure réponse apportée par Freud pour tenter de libérer l'homme de cette aliénation psychique. Bref, tandis que l'homme adulte de Kant ou de Voltaire était un homme religieux libéré de la tutelle des institutions, l'homme adulte de Feuerbach ou de Freud est un homme sans religion, libéré de la foi en Dieu.

MD – Ces arguments vous semblent-ils valides ?

FL – Je trouve le positivisme de Comte assez primaire. Il correspond à ce qu'on a appelé le « scientisme », cette foi absolue en la science devenue une sorte de religion. On a pu mesurer avec le temps que non seulement la science n'avait pas réponse à tout, mais qu'elle pouvait aussi conduire à des inventions technologiques destructrices. « Science sans conscience n'est que ruine de l'âme », disait déjà Rabelais au XVIe siècle. Il est bien évident que les progrès de la connaissance rationnelle font progresser l'humanité, mais l'éthique, le respect de l'autre, l'amour lui sont tout aussi nécessaires pour ne pas sombrer dans la barbarie. Par ailleurs, je ne crois pas que les progrès de la connaissance et l'essor des sciences éliminent un jour totalement la foi en Dieu. Comme le disait Pascal, Dieu parle au cœur plus qu'à la raison. On peut être un grand scientifique et croire en Dieu, même s'il faut reconnaître que la grande majorité des scientifiques sont athées ou agnostiques. Pour ce qui est de l'argument de Marx, qui n'est pas faux dans son analyse (il est évident que la religion « console »), il me semble peu sûr dans sa conclusion : je ne crois pas que la foi en Dieu disparaisse avec la fin de l'aliénation économique et les derniers exploités. Non seulement cette fin est très illusoire, mais en outre la foi en Dieu a des causes plus profondes que la misère économique et sociale – et bien des personnes économiquement favorisées ont une foi inébranlable. L'analyse de Feuerbach est plus puissante, car il démontre bien l'anthropomorphisme à l'œuvre dans la construction du concept du Dieu personnel, absolument bon et parfait, et on peut en effet se demander ce que serait une humanité qui se réapproprierait toutes ses qualités projetées sur cet Être invisible. Mais ici aussi, la conclusion de Feuerbach me paraît trop optimiste : je ne pense pas que des êtres humains débarrassés de Dieu deviennent nécessairement meilleurs et plus humains. Comte et Feuerbach sont trop tributaires de cette idée de progrès inéluctable des sociétés héritée du XVIIIe siècle. Auschwitz, le Goulag et Hiroshima ont mis à mal cette idéologie du progrès et la foi aveugle en la science ou dans le politique qui la portait. Et on a vu de grandes idéologies athées (le nazisme, le communisme) commettre des crimes encore plus épouvantables que ceux commis au cours des millénaires précédents au nom de Dieu. Cela n'enlève rien à la critique philosophique de l'existence de Dieu, mais cela permet aussi de relativiser la confiance absolue dans l'homme et dans les sociétés « libérées de Dieu ».

C'est finalement la critique freudienne qui me semble encore aujourd'hui la plus pertinente, parce qu'elle touche au plus profond de la psyché de chacun : le besoin d'être rassuré face aux dangers du monde et à l'angoisse de la mort. Spinoza le soulignait déjà : « Nous sommes disposés par nature à croire facilement ce que nous espérons. » On peut donc douter de quelque chose d'aussi désirable qu'un Dieu absolument bon et une vie éternelle bienheureuse.

MD – J'imagine que les progrès de la science ont dû fournir d'autres critiques.

FL – Chaque fois qu'une nouvelle avancée scientifique décisive s'est produite, quantité d'articles ou de livres ont été écrits pour expliquer que cela sonnait le glas de Dieu. En fait, jusqu'à présent, aucune découverte scientifique n'a prouvé la non-existence de Dieu, mais toutes ont fait reculer l'explication religieuse du monde. Avant l'essor prodigieux de la science moderne, à partir du XVIIe siècle, la religion avait réponse à tout. Elle entendait fournir une réponse aux questions concernant l'origine du monde et de la vie. Or la science a rendu caduque cette prétention et a démontré que la religion disait souvent sur ces questions des choses totalement erronées (on en revient au procès de Galilée). La religion s'est donc repliée sur les domaines où la science n'a pas autorité : les questions du sens et de la morale. Et même si dans ces domaines elle est sérieusement concurrencée par la philosophie et des spiritualités orientales non théistes, elle continue d'avoir une certaine audience, car l'être humain restera toujours confronté aux questions de l'énigme de son existence et du vivre ensemble.

MD – L'avancée scientifique qui a probablement fait perdre le plus de crédit à Dieu est la théorie de l'évolution selon la sélection naturelle de Darwin ?

FL – Sans aucun doute. Elle contredit la Bible (et indirectement le Coran qui reprend la Bible sur ces questions) selon laquelle le monde a été créé par Dieu il y a un peu moins de six mille ans et surtout que Dieu est intervenu directement pour créer la vie, puis l'être humain comme distinct de toutes les autres créatures « à son image et à sa ressemblance ». Dans son principal ouvrage, *L'Origine des espèces* (1859), où il a rassemblé toutes les observations géologiques et biologiques de son temps, Darwin montre que la vie est le fruit d'un processus évolutif de plusieurs millions d'années où toutes les espèces vivantes ont évolué à partir d'un seul ou de quelques ancêtres communs, grâce à un processus de sélection naturelle. L'homme est donc le fruit d'une longue chaîne évolutive. Plus besoin de Dieu pour expliquer le développement de la vie, l'apparition de l'homme et la croissance de la complexité. Au-delà de la remise en question de la Bible (on peut faire une lecture symbolique du récit de la Genèse), la théorie darwinienne – qui a été précisée et améliorée depuis, mais jamais remise en cause scientifiquement dans ses fondements – a ébranlé nombre de croyants parce qu'elle donne un récit rationnel de l'histoire de la vie et apporte une réponse crédible – même si elle comporte encore des points d'interrogation – à l'un de ses plus grands mystères : l'apparition d'un être intelligent. Et c'est la raison pour laquelle, plus de cent cinquante ans après sa publication, elle est encore terriblement combattue par les fondamentalistes juifs, chrétiens et musulmans.

MD – Le fait que nous ayons découvert que la Terre n'est finalement qu'une petite planète qui tourne autour d'un Soleil, perdue dans une petite galaxie au sein d'un univers composé de milliards d'autres galaxies, relativise aussi beaucoup la place centrale de l'homme dans la création et donc de Dieu ?

FL – Comme le disait Pascal : « Le silence éternel de ces espaces infinis m'effraie. » Quelle phrase magnifique ! Il est évident que la connaissance astronomique moderne a bouleversé la conception religieuse. Pour au moins trois raisons. Tout d'abord elle a chassé Dieu du ciel. Les Anciens considéraient la voûte céleste comme parfaite et de substance divine. Dans le Moyen Âge chrétien, on pouvait aussi considérer que le royaume de Dieu se situait dans un lointain espace céleste. On sait aujourd'hui que tout l'univers est fait de la même matière que la nôtre et il ne vient plus à l'idée de personne de chercher Dieu dans une lointaine galaxie. Alors où est-il ? L'idée d'un au-delà invisible est la seule solution. Ensuite, en démontrant que la Terre tourne autour du Soleil et non l'inverse, la révolution copernicienne a montré que la Terre n'est pas le centre du monde, ce qui a remis en cause l'anthropocentrisme biblique. À cela s'ajoute la découverte que nous sommes si peu de chose dans un univers infiniment plus vieux et infiniment plus vaste que l'on a pu l'imaginer.

MD – À l'inverse, les progrès de l'astrophysique permettent aussi d'apporter un argument en faveur de l'existence de Dieu, ou du moins d'un principe créateur intelligent.

FL – C'est le principe anthropique que nous avons évoqué à la fin du chapitre précédent : le réglage initial des composantes de l'univers est si fin qu'un seul microchangement de ces paramètres n'aurait pas permis l'éclosion de la vie sur terre et le développement de la complexité qui a abouti à l'apparition d'un être intelligent. Ce qui conduit à introduire l'hypothèse probable d'une intelligence créatrice qui aurait réglé ces paramètres en vue de l'apparition de l'homme. On a vu que cet argument a conduit nombre de scientifiques à postuler une autre hypothèse : l'existence de multiples univers. Sur des milliards d'univers existants, le nôtre aurait « par hasard » gagné le gros lot. Ce dernier exemple montre encore une fois qu'on ne peut apporter de preuves de l'existence de Dieu, ni de preuves de sa non-existence. Tout au plus des arguments, qui entraîneront bien souvent d'autres contre-arguments. Ces arguments, même s'ils ne sont évidemment pas tous de même portée et de même valeur, ils peuvent nous aider à nous forger une intime conviction, mais jamais un savoir.

MD – Des dizaines d'ouvrages de philosophes et de scientifiques athées ont paru ces dernières années. Qu'apportent-ils de plus ?

FL – Il y a des livres de scientifiques de renom, comme Stephen Hawking déjà cité qui propose un modèle d'explication scientifique de l'univers sans recourir à l'hypothèse d'un principe créateur, en prônant notamment l'hypothèse des univers multiples. Hawking est athée, mais il ne présente pas sa thèse comme une preuve irréfutable de la non-existence de Dieu. On trouve surtout des livres de philosophes ou de scientifiques qui expriment les raisons de leur athéisme. La plupart partent du constat de la violence et du fanatisme religieux et opèrent une critique radicale des monothéismes. Dans ce registre, je trouve que les deux plus intéressants sont ceux du philosophe Michel Onfray (*Traité d'athéologie*, 2005) et du biologiste Richard Dawkins (*Pour en finir avec Dieu*, 2006). Le ton est polémique, acerbe, virulent, mais la réflexion est stimulante et les faits et citations rapportés souvent édifiants.

J'ai été frappé notamment par une expérience racontée par Dawkins, réalisée en Israël par le psychologue Georges Tamarin. Il a présenté à mille soixante-six écoliers de huit à quatorze ans le récit biblique de la prise de Jéricho par Josué annonçant que Dieu a livré la ville aux Israélites et exhortant ses troupes à la piller, la brûler et à massacrer aussi bien les hommes que les femmes, les enfants que les vieillards, sans oublier les animaux. Puis Tamarin a posé aux enfants la question morale très simple : « Pensez-vous que

Josué et les Israélites aient bien agi ou pas ? » 66 % des enfants ont répondu par une approbation totale, 8 % par une approbation partielle et seulement 26 % par une désapprobation totale. Dans toutes les réponses positives, le massacre commis par Josué était justifié par la religion. Tamarin a pris un autre groupe témoin de cent soixante-huit enfants israéliens du même âge et leur a soumis le même texte de la Bible, mais en changeant les noms de Josué par « général Li » et d'Israël par « un royaume chinois il y a trois mille ans ». Du coup, les enfants n'étaient plus que 7 % à approuver le massacre et 75 % à le désapprouver totalement. La leçon de ce test est limpide : lorsque la fidélité à leur religion n'est pas en jeu, les enfants adoptent à une écrasante majorité une position morale universelle selon laquelle il est mal de tuer des innocents. Dawkins ne le dit pas, mais il faut aussi préciser que le test a été effectué en 1966, dans un contexte de tension extrême entre Israël et le monde arabe, ce qui peut expliquer en partie ce sentiment identitaire exacerbé. Et il est très probable, si l'on faisait la même expérience aux États-Unis avec des enfants de fondamentalistes ou à partir de scènes guerrières du Coran avec des enfants musulmans dans des écoles coraniques au Pakistan, qu'on obtiendrait des résultats très similaires. Le sentiment religieux identitaire influence considérablement les hommes, au point de leur faire parfois oublier leur appartenance à une humanité commune et la morale humaniste qui en découle. C'est une critique de la religion qui reste très pertinente, même si elle n'atteint pas de mon point de vue directement la question de l'existence de Dieu. Car on peut très bien imaginer que Dieu réprouve ces comportements violents et que ces textes n'aient pas été inspirés par lui. La mauvaise conduite des croyants n'est certes pas un bon point pour Dieu, mais elle réfute davantage les religions et leur cortège d'atrocités que Dieu lui-même.

MD – Par ailleurs, ces thèses sont toujours à charge : ce sont des réquisitoires qui multiplient les exemples du fanatisme et de l'obscurantisme religieux. Mais ils ne présentent jamais la version de la défense. Or les religions ne sont pas uniquement à l'origine d'atrocités !

FL – C'est vrai. Nous l'avons vu avec Max Weber, elles ont aussi joué un rôle décisif dans l'essor de la rationalité et donc indirectement dans celui du savoir et des sciences. Elles ont aussi accompagné la naissance et le développement de toutes les civilisations en apportant un discours éthique et des œuvres de solidarité pour les plus faibles : ce ne sont pas des organisations athées qui ont créé les premiers hospices, les orphelinats, les systèmes de redistribution solidaire des richesses, ce sont des institutions religieuses. L'histoire nous a montré que les religions peuvent apporter le meilleur comme le pire, et je serais bien curieux de savoir ce qu'aurait été l'aventure de l'humanité si aucune religion ni aucun dieu n'avaient jamais inspiré les actions humaines. Pas si sûr que c'eût été un paradis terrestre ! Mais ce n'est bien entendu pas une raison pour ne pas lutter aujourd'hui de toutes nos forces contre l'obscurantisme et le fanatisme religieux. C'est pourquoi je trouve ces arguments plus émotionnels et affectifs que rationnels (on est tous bouleversés par une femme qui va se faire lapider au nom de Dieu) et jamais totalement pertinents pour justifier un athéisme philosophique.

MD – En ce sens, l'ouvrage d'André Comte-Sponville, *L'Esprit de l'athéisme* (2006), est de nature très différente...

FL – Il est très bien argumenté, posé, nuancé, et sans doute d'autant plus convaincant. Il développe six arguments principaux en faveur de l'athéisme : la faiblesse des arguments opposés (les prétendues preuves de l'existence de Dieu, qu'il déconstruit une à une) ; son refus d'expliquer le mystère du monde par quelque chose de plus mystérieux encore (Dieu) ; la démesure du mal ; la médiocrité de l'homme ; le fait que Dieu est trop désirable pour être vrai (argument freudien) ; enfin, tout simplement, mais c'est évidemment l'argument le plus décisif, l'expérience commune (si Dieu existe, on devrait le sentir ou le voir davantage).

MD – Justement, comment les religions expliquent-elles que, si Dieu existe, on ne le voie pas ou qu'il ne s'impose pas à tous ?

FL – On ne le voit pas parce qu'il n'a pas de corps : c'est un pur esprit. Mais on pourra le voir d'une certaine manière « avec les yeux de l'âme », lorsque celle-ci sera détachée de notre corps. Il n'est pas manifeste, car s'il l'était on ne serait plus libre de l'aimer tant il nous écraserait par sa lumière et son amour. Dieu se cache donc et se révèle discrètement de plusieurs manières qui ne contraignent pas l'homme : la beauté du monde, la révélation prophétique (la Bible, le Christ, le Coran...), la grâce dans le cœur de ceux qui sont prêts à l'accueillir. C'est donc par la foi que le croyant adhère à Dieu, et la foi, comme son nom l'indique, n'est pas une certitude ou un savoir.

MD – Implique-t-elle nécessairement le doute ?

FL – Oui, sauf pour les fanatiques et les intégristes de tous bords qui prétendent *savoir* que Dieu existe... et qui voudraient du coup l'imposer à tous. Mais le fait même que Dieu n'est pas évident, qu'il ne se voit pas, que tous n'en font pas l'expérience, montre que seule la foi, c'est-à-dire une sorte de confiance affective, permet de croire en Dieu. Et la foi n'empêche pas le croyant d'avoir des doutes rationnels. Beaucoup de gens ont été stupéfaits d'apprendre plusieurs années après sa mort que mère Teresa avait douté de l'existence de Dieu pendant près de cinquante ans. Mais elle n'a jamais dit qu'elle avait perdu la foi et ne croyait plus en Dieu. Elle a juste dit qu'elle ne ressentait plus intérieurement la présence de Dieu, alors qu'elle l'avait maintes fois ressentie auparavant, et que confrontée à tant de souffrance, elle avait sans cesse douté. La foi permet le doute et le doute ne supprime pas la foi. Lorsque cela arrive, on n'est plus dans la foi mais dans l'athéisme, ce qui n'était pas le cas par exemple de mère Teresa.

MD – Mais c'est quand même terrible pour une religieuse qui a consacré toute sa vie à Dieu de douter pendant cinquante ans de son existence ! Les grands croyants doutent-ils plus que les autres ?

FL – Certainement. Et mère Teresa affirme que ce fut une épreuve terrible. Mais plusieurs grands mystiques de la tradition chrétienne ont vécu une expérience similaire, à commencer par Thérèse de Lisieux qui dit avoir été plongée pendant plusieurs années, alors qu'elle était enfermée dans un carmel, dans les arguments et les sentiments de l'athéisme, qu'elle affirme avoir compris et vécus de l'intérieur. Jean de la Croix, ce carme du XVIe siècle, a également décrit dans son poème *La Nuit obscure* comment Dieu éprouve la foi de ses amis les plus intimes en la purifiant par l'épreuve du doute. Ainsi ils l'aiment de manière totalement gratuite, sans rien ressentir ni attendre en retour, en s'appuyant sur la foi pure, et non quelque argument ou ressenti. Un croyant, qui a de toute façon une relation affective avec Dieu, peut sans doute se satisfaire de ces explications, tandis qu'un agnostique ou un athée y verra évidemment une rationalisation un peu désespérée de l'absence de Dieu, non pas comme épreuve, mais comme fait.

Pour revenir à l'argument le plus simple selon lequel si Dieu existe on devrait le voir ou le sentir, je pense qu'il a avec lui la force de l'évidence et constitue le principal facteur du développement de l'athéisme actuel. Beaucoup de jeunes, qui n'ont pas reçu d'éducation religieuse, ne se posent même pas la question de l'existence de Dieu. Non seulement ils ne le voient pas, mais ils constatent que les croyants ne sont pas nécessairement plus heureux ou meilleurs que les autres, donc Dieu devient une hypothèse inutile. Comme le souligne aussi très justement André Comte-Sponville, puisque nous n'avons aucune expérience objective de Dieu, ce n'est pas aux athées d'apporter la preuve que Dieu n'existe pas, mais plutôt aux croyants d'apporter la preuve que ce Dieu invisible existe. En 1952, le philosophe Bertrand Russell l'avait déjà exprimé de manière cocasse avec sa métaphore de la « théière céleste » : si j'affirme qu'entre la Terre et Mars une théière en porcelaine gravite autour du Soleil en orbite elliptique, on me demandera de le prouver, et si j'affirme que cela est impossible parce qu'elle est trop petite pour être vue par nos télescopes les plus puissants, on se moquera de moi ou on me prendra pour un fou... à juste titre. De même que rationnellement nous sommes spontanément « a-théiristes », nous sommes spontanément athées. La foi en Dieu vient d'une tradition ancienne, d'un héritage familial, d'une expérience intérieure subjective, éventuellement d'une argumentation, mais elle ne tombe pas sous le sens. Sinon nous serions tous « connaissants » (et non pas croyants) et la foi n'existerait pas.

10

Violence, misogynie, sexualité réprimée : Dieu est-il fanatique ?

MARIE DRUCKER – On ne compte plus les crimes et les massacres perpétrés au fil des siècles au nom de Dieu. Comment expliquer cette violence ?

FRÉDÉRIC LENOIR – En dépit de leurs messages d'amour, de miséricorde et de fraternité, les religions ont toutes en effet du sang sur les mains. C'est particulièrement vrai dans le cas des monothéismes, ces religions fondées sur une révélation, chacune persuadée d'être détentrice de l'unique vérité qui leur a été donnée par Dieu. Elles en tirent un sentiment de supériorité sur les autres : puisqu'elles seules, pensent-elles, sont issues de la « vraie révélation divine ». Elles en deviennent intolérantes et ont souvent légitimé la violence « au nom de Dieu ». Et, outre l'intolérance liée à la révélation, c'est surtout le désir de domination, l'attrait du pouvoir qui rend les religions violentes. Le cas du judaïsme est dès lors particulier, puisque pendant plus de deux mille cinq cents ans il a été une minorité politiquement dominée ou persécutée. Au temps de Jésus, on l'a vu, la Palestine est sous domination romaine, seul le champ religieux étant délégué aux juifs. Ces derniers pourfendent néanmoins les hérétiques : Jésus est remis par le Sanhédrin à Pilate pour être condamné à mort. Les Actes des apôtres relatent les persécutions juives dont ont été victimes les premiers chrétiens : le Sanhédrin procède aux arrestations, fait lapider Étienne (7, 57-58), mène « une violente persécution contre l'Église de Jérusalem » (8, 1). Puis, avant la fin du Iᵉʳ siècle de notre ère, les juifs se sont éparpillés et sont dès lors toujours minoritaires et persécutés, et cela jusqu'à la création de l'État d'Israël, en 1948. On voit hélas depuis le fanatisme qui anime de nombreux colons religieux au nom de la reconquête de cette terre donnée selon eux par Dieu au peuple juif. Il s'est exprimé de manière incroyablement violente à Hébron, le 25 février 1994, lorsque Baruch Goldstein, un colon sioniste religieux de la colonie de Kiryat Arba, membre de la Ligue de défense juive, est entré dans le tombeau des Patriarches pendant la prière pour massacrer à l'aide de son fusil mitrailleur vingt-neuf Palestiniens et en blesser cent vingt-cinq avant d'être tué à son tour. Le gouvernement israélien a condamné avec la plus grande fermeté cet attentat horrible, mais sa tombe est devenue un lieu de pèlerinage pour des milliers de colons extrémistes. On peut y lire cette épitaphe : *To the holy Baruch Goldstein, who gave his life for the Jewish people, the Torah and the nation of Israel* (« À Baruch Goldstein, l'homme saint qui a donné sa vie pour le peuple juif, la Torah et Israël »).

Le cas du christianisme est beaucoup plus parlant, car il exerce un pouvoir politique pendant de nombreux siècles. Les chrétiens, qui refusent de rendre un culte à l'empereur et ne respectent donc pas les lois de la cité, sont violemment persécutés par les autorités romaines au cours des trois premiers siècles. Mais tout bascule au début du IVe siècle. En 313, par la volonté de l'empereur Constantin, le christianisme est officiellement réhabilité dans l'Empire. L'évêque de Rome, Miltiade, reçoit de riches dotations. L'année suivante se tient le concile gaulois d'Arles. On pourrait imaginer que ceux qui pendant trois siècles ont été persécutés se montreraient tolérants envers les nouvelles minorités. Mais ce n'est pas le cas : ce concile énumère la liste des fidèles qui seront tenus à l'écart de la communion, par exemple les « gens de théâtre », et il impose de lourdes pénitences à ceux qui sacrifieraient aux dieux de Rome. En 380, le christianisme devient religion d'État. Et il commence à devenir implacable : envers les non-chrétiens (les infidèles), mais aussi envers les chrétiens déviants à l'égard du dogme (les hérétiques). À cette époque pourtant, l'Église, considérant que le Christ a interdit de verser le sang, répugne encore à la mise à mort des hérétiques qui sont le plus souvent bannis de l'Empire. Malheureusement, de grands théologiens chrétiens viendront conforter l'usage de la violence au nom de Dieu. Je pense par exemple à saint Augustin qui, au début du Ve siècle, dans son *Contre Faustus*, qualifie la violence de « mal nécessaire » pour protéger la société chrétienne et aider les hérétiques à gagner le bonheur éternel. Il parle aussi de « persécution juste ». Les papes utiliseront ses arguments dès lors qu'il leur faudra sévir contre les infidèles (juifs et musulmans) et les hérétiques (comme les cathares). Jésus avait dit : « Mon royaume n'est pas de ce monde », et voilà que l'on bâtit un royaume chrétien. La politique va désormais l'emporter sur la mystique et sur la spiritualité. Ceux qui n'adhèrent pas à l'orthodoxie sont combattus parce qu'ils menacent l'unité politique de la société. On ne les tolère pas. On les tue au nom de Dieu.

MD – C'est la mise en place au XIIIe siècle de la fameuse « sainte Inquisition » ...

FL – Dès le début du IXe siècle, avec la réforme carolingienne mise en œuvre par Charlemagne, le pouvoir politique multiplie les persécutions envers les infidèles et les hérétiques. Puis la guerre contre les infidèles prend une ampleur nouvelle avec les croisades. Quand, le 27 novembre 1095, le pape Urbain II appelle les fidèles à partir à la rescousse des chrétiens d'Orient et à « libérer » Jérusalem des infidèles, il achève ainsi son appel – un appel à la guerre sainte – « Dieu le veut ! » Et il promet à tous ceux qui partiront une indulgence plénière, c'est-à-dire la rémission de tous leurs péchés. Aucune voix ne s'élève pour dénoncer cet appel. Le grand saint Bernard, qui prêche la croisade, apporte même sa caution à la notion de « guerre juste ». En écrivant la règle des Templiers, ces fameux moines soldats chargés de protéger les pèlerins, il explique que tuer un infidèle n'est pas un « homicide » mais un « malicide », justifiant ainsi que des moines puissent tuer au nom de Dieu. Aucune voix ne s'élève non plus quand, en route pour Jérusalem, les croisés procèdent à des pogroms antijuifs, à Reims d'abord puis dans toutes les villes qu'ils traversent et où ont le malheur de se trouver des communautés juives. Neuf croisades sont organisées entre 1095 et 1270. En même temps, l'Église s'est donné pour mission – toujours au nom de Dieu – de lutter contre les hérésies chrétiennes. L'Inquisition est créée dans cet objectif par une bulle du pape Grégoire IX, le 8 février 1232. De grands théologiens sont également là pour légitimer l'extrême déchaînement de violence qui s'ensuit. Saint Thomas d'Aquin, par exemple, confirme : « Les hérétiques méritent d'être retranchés du monde par la mort » (*Somme théologique*, II, II, Q 11, art. 3). Les inquisiteurs, ne l'oublions pas, sont des prêtres ou des religieux, la plupart dominicains et franciscains. Ils sont autorisés par le pape à pratiquer la torture par « amour et miséricorde ». La peine de mort, elle, continue d'être appliquée par les autorités civiles, sur décision de l'Église.

MD – Les croisés et les inquisiteurs étaient-ils réellement convaincus d'agir pour Dieu ?

FL – Ils n'avaient pas de raison d'en douter ! Ils agissaient sur ordre du pape, s'exprimant au nom de Dieu, et avec la caution des plus grands théologiens leur affirmant que leur action permettait de ramener, de gré ou de force, et plutôt de force d'ailleurs, les brebis égarées sur le droit chemin. Il y avait bien sûr quelques voix discordantes, mais elles étaient rares et se sont surtout manifestées à partir de la Renaissance. L'exemple le plus connu est celui du dominicain Bartolomé de Las Casas qui, au milieu du XVIe siècle, a dénoncé le génocide des Indiens d'Amérique, les déclarant « frères en Christ » alors que l'Église s'interrogeait mollement pour savoir s'ils avaient une âme. Quelques personnes éclairées en dehors des milieux cléricaux, à l'instar de Montaigne, ont joint leur voix à la sienne... Mais ils se comptaient sur les doigts d'une main.

MD – Comment s'explique la haine des chrétiens à l'égard des juifs ? Jésus était juif et les juifs n'ont jamais voulu menacer le pouvoir de l'Église.

FL – Après la destruction du Temple, quand se constitue le judaïsme rabbinique, les relations entre juifs et chrétiens sont rompues. Déjà, quelques décennies plus tôt, saint Paul a eu des paroles terribles, non seulement envers les grands prêtres qui avaient voulu la mort de Jésus, mais envers les juifs en général : « Ceux-ci ont tué le Seigneur Jésus et les prophètes ; ils nous ont persécutés ; ils déplaisent à Dieu ; ils sont les adversaires de tous les hommes puisqu'ils nous empêchent de proclamer la Parole aux païens pour qu'ils soient sauvés ; ils continuent ainsi à mettre le comble à leur péché. Mais la colère de Dieu les a atteints de manière décisive » (I Thessaloniciens 2, 15-16). S'inspirant de ce texte terrible, l'idée du peuple « déicide » puni par Dieu va se développer dans l'Église à partir du IIe siècle. On l'a vu, il faudra attendre le concile Vatican II (1962-1965) pour qu'elle soit fermement condamnée et que la formule « juifs perfides » soit retirée du texte de la liturgie du Vendredi saint commémorant chaque année la passion de Jésus. Dès que l'Empire romain devient chrétien, les juifs sont raillés, discriminés, chassés de Rome. En 514, le IVe concile d'Orléans adopte une série de mesures à leur encontre, leur interdisant, entre autres, de paraître en public pendant la période de Pâques, ou encore d'employer un chrétien ou un païen. En 1215, lors du concile de Latran, le pape voulant que l'on puisse les repérer, notamment pour empêcher les mariages avec les chrétiens, fait imposer aux juifs le port de la rouelle, un rond jaune bien en évidence sur la poitrine. Le jaune, chez les chrétiens, symbolise la trahison, voire Lucifer : Judas est traditionnellement représenté portant une robe jaune. Vers la fin du Moyen Âge, le jaune est lié au désordre, à la folie : les bouffons et les fous sont eux aussi habillés en jaune. Saint Louis, le roi Louis IX, impose aux juifs le port de deux signes, l'un dans le dos, l'autre sur la poitrine. Ce signe stigmatisant sera, comme on le sait, repris par les nazis. Car même si d'autres causes entrent en jeu à la période moderne, il existe une continuité entre l'antijudaïsme chrétien et l'antisémitisme moderne, qui a abouti à l'extermination de près de six millions de juifs dans les camps de la mort.

MD – Les juifs ont été victimes de cette folie religieuse des hommes, mais je suis quand même frappée de voir que dans la Bible, Yahvé aussi est très violent : l'expulsion d'Adam et Ève du paradis, le déluge qui est un quasi-génocide, les dix plaies envoyées aux Égyptiens et tous les malheurs infligés aux ennemis du peuple d'Israël. Peut-on exonérer Dieu de la violence des hommes ?

FL – Yahvé a, en effet, scellé une alliance avec son peuple et, selon la Bible, il le protège de ses ennemis, envoie même ses armées pour le sauver des Araméens, des Moabites, des Ammonites, des Philistins. Et il le châtie de manière tout aussi redoutable, voire sanglante, quand à plusieurs reprises il tombe dans la tentation du polythéisme. L'exil à Babylone est lui-même perçu comme un châtiment divin sur lequel les juifs s'interrogent. Les prophètes expliquent aux fidèles que Yahvé s'est détourné des siens, et leur demandent une fidélité désormais inconditionnelle à Dieu. À partir de cet épisode, Yahvé inspire la terreur au point que son nom même n'est plus prononcé : il devient le tétragramme YHWH. C'est là que se produit la naissance réelle du monothéisme le plus strict. Le Dieu colérique et violent qui est dépeint, pour des raisons tout à fait politiques, a d'ailleurs posé problème aux premiers chrétiens, tant ils le voyaient différent du Dieu d'amour proclamé par Jésus. Au IIe siècle, un homme d'Église assez influent nommé Marcion proposait même de tourner la page de l'Ancien Testament, abrogé, disait-il, par Jésus, pour être remplacé par les Évangiles. Marcion allait jusqu'à affirmer que le Dieu de Jésus était un autre Dieu que celui des juifs. Il n'a pas été suivi par l'Église et a été condamné pour hérésie. Pris au pied de la lettre, ces récits de la violence divine peuvent effectivement conduire à justifier la violence des hommes. Il est nécessaire, on l'a vu, d'interpréter la Bible, on ne peut pas en faire une lecture littérale : en voilà une autre excellente raison.

MD – Quant à Allah, le Dieu de l'islam, il prône le *jihad*, la guerre sainte.

FL – Allah, comme Yahvé, protège les siens. Il est, lui aussi, un « Dieu des armées ». Le Coran impose le principe du jihad, compris de deux manières différentes : la première est le jihad en soi, la guerre contre ses propres démons, le second est le jihad pour la oumma, la communauté. C'est la guerre sainte contre les infidèles : « Mène combat contre les infidèles et sois dur contre eux », dit le Coran (9, 73 ; 66, 9). Allah ne fait pas de quartier : « La récompense de ceux qui combattent Allah et Son prophète, et qui s'efforcent de semer la corruption sur la terre, c'est qu'ils soient tués ou crucifiés, ou que soient coupées leur main et leur jambe opposées, ou qu'ils soient expulsés du pays » (5, 33). Il appelle à la guerre : « Ô Prophète, incite les croyants au combat. S'il se trouve parmi vous vingt endurants, ils vaincront deux cents ; et s'il s'en trouve cent, ils vaincront mille mécréants, car ce sont vraiment des gens qui ne comprennent pas » (8, 65). Le statut des combattants est explicité : ils sont dignes de privilèges et de récompenses, ils ont un « grade d'excellence sur ceux qui sont restés chez eux » (4, 95-96). Des conseils stratégiques sont donnés aux guerriers : « N'appelez point à la paix alors que vous avez la supériorité » (67, 35). Mohamed était lui-même à la fois un chef spirituel et politique, et un guerrier convaincu que l'islam est la seule vraie religion (61, 9), le « parti de Dieu » à qui reviendra, *in fine*, la victoire (5, 56). La tradition musulmane a abondé dans ce sens, instituant le statut de martyr, pour celui qui meurt en combattant pour Allah, et lui promettant soixante-dix vierges dans l'au-delà – une précision qui n'existe pas dans le Coran mais dans les hadiths. Il existe une justification coranique de la violence, si l'on prend le Coran au pied de la lettre, comme il existe un « droit » biblique à la violence.

MD – Il y aura de terribles dérives meurtrières tout au long de l'histoire des conquêtes musulmanes...

FL – Il y en aura, en effet. La constitution de l'Empire musulman, qui a démarré très vite après la mort de Mohamed, s'est faite par l'épée. Les vaincus avaient le choix : embrasser la nouvelle religion ou endosser le statut de *dhimmis* s'ils étaient juifs ou chrétiens, des « protégés » qui, de fait, ne jouissaient pas des mêmes droits que les musulmans. Et, exactement comme dans le christianisme impérial, toutes ces actions étaient légitimées par une justification divine : le combat était mené au nom de Dieu, et pour lui. De la même manière que le clergé viendra bénir les armes des croisés chrétiens, des autorités religieuses musulmanes accompagneront les combattants à la guerre. Les califes, qui vont asseoir leur pouvoir sur la religion et consacrer l'indivisibilité entre État et religion, vont contribuer à enraciner cette idéologie dans l'islam. Elle resurgira même après l'abolition du califat, au XXe siècle, dans une multitude de groupes islamistes. Elle inspirera par exemple les Frères musulmans qui sont nés en Égypte et qui ont inscrit sur leur bannière : « Dieu est notre but, le Prophète notre modèle, le Coran notre loi, le jihad notre voie, le martyre notre vœu. » Cette idéologie est évidemment au cœur du jihadisme, la mort pour Dieu que chantent les intégristes, avec sa cohorte d'attentats qui continuent, aujourd'hui encore, d'ensanglanter l'Irak, le Pakistan, l'Afghanistan, etc.

MD – Le christianisme aurait pu emprunter la même voie, celle de la surenchère au nom de Dieu et continuer d'exercer une violence politique. Pourquoi ne l'a-t-il pas fait ? Ou plutôt pourquoi a-t-il cessé de le faire ?

FL – Parce qu'il y a eu les Lumières du XVIIIe siècle, des Locke, des Voltaire, des Bayle qui réclamaient une société que l'on pourrait dire laïque, même s'ils n'utilisaient pas ce mot, un État qui ne soit pas sous le joug de l'Église catholique. Il ne s'agissait pas pour eux de supprimer la religion, mais de la réserver à la sphère privée. C'est ainsi qu'apparaissent les prémices de l'État démocratique et moderne, où le pouvoir politique n'est plus sanctifié par Dieu, et où la vraie légitimité échoit au peuple. Les juifs, les athées, les protestants, les catholiques, les francs-maçons deviennent tous des citoyens à part entière. On ne peut plus persécuter personne pour sa religion ou sa croyance. Les droits de l'homme vont devenir des valeurs fondamentales de sociétés qui reposent sur le respect de la personne humaine : liberté de conscience, liberté de religion, liberté d'expression. L'Église n'a pas pu arrêter cette vague déferlante venue de la société...

MD – Le concile Vatican II, qui réunit les catholiques, va marquer un tournant capital dans les années 1960.

FL – Depuis la Renaissance, et particulièrement avec les Lumières, l'Église catholique était attaquée. Elle se défendait en considérant que toutes les idées du monde moderne, y compris la liberté de conscience, étaient autant de déclarations de guerre faites à Dieu. Le concile Vatican II a totalement rompu avec cette logique défensive. Il a été ouvert par Jean XXIII en 1962 : le pape voulait un aggiornamento, une « mise à jour » de l'Église. Il a été clôturé trois ans plus tard, par Paul VI. Pendant cette période, seize décrets et constitutions ont été adoptés, bouleversant le visage de l'Église catholique et lui offrant, au fond, la possibilité de revenir à sa mission spirituelle qu'elle avait occultée. Le plus controversé des documents conciliaires portait sur la liberté religieuse. En acceptant son principe, l'Église se repentait de siècles de persécutions et admettait implicitement l'existence d'autres vérités, même si elle considère qu'elles ne sont pas aussi « vraies » que la sienne. Pour certains catholiques, c'était un sacrilège : ils ont quitté l'Église en se revendiquant du « vrai » catholicisme. Ce sont les lefebvristes, les disciples de Mgr Lefebvre. Pour ceux-là, intégristes, le monde n'a pas bougé depuis des siècles. Ils sont encore dans l'état d'esprit qui a guidé les guerres de religion.

MD – Avec Jean-Paul II, et plus encore avec

Benoît XVI, on a le sentiment d'un certain retour en arrière. Ces deux papes ont eu le désir – Benoît XVI surtout – de montrer que c'est l'Église catholique qui détient *la* vérité, y compris face aux Églises protestantes.

FL – En 2000, la déclaration vaticane *Dominus Jesus* dénonçait d'ailleurs les « théories relativistes qui entendent justifier le pluralisme religieux », réaffirmant, en introduction, le « caractère définitif et complet de la révélation de Jésus-Christ (et) la nature de la foi chrétienne vis-à-vis des autres révélations ». Cette déclaration a été très mal perçue par les autres Églises chrétiennes puisqu'elle réaffirmait la « subsistance de l'unique Église du Christ dans l'Église catholique », autrement dit à l'exclusion de ce que l'on a coutume d'appeler les autres « Églises sœurs ». Benoît XVI présidait alors la Congrégation pour la doctrine de la foi, héritière du Saint-Office qui avait mené l'Inquisition, et le document porte très nettement l'empreinte de sa proximité avec les intégristes lefebvristes – qu'il a d'ailleurs réhabilités dès qu'il est devenu pape. Mais hormis ces positions théologiques, l'Église catholique a bel et bien renoncé à l'usage de la violence – qu'elle condamne partout avec la plus grande fermeté – pour imposer son point de vue. Bien qu'elle les ait combattus pendant plus de cent cinquante ans, l'Église est aujourd'hui totalement acquise aux droits de l'homme. Il faut dire que les Lumières se sont inspirées très explicitement du message de l'Évangile, que l'Église avait d'ailleurs un peu oublié : liberté, égalité, fraternité !

MD – Droits de l'homme... droits de la femme ? Malgré les progrès du christianisme en ce qui concerne la liberté de conscience, on voit que la place de la femme reste une question complexe. Toutes les religions seraient-elles misogynes ?

FL – La plupart d'entre elles ont une forte tendance à la misogynie. On a déjà vu comment la sédentarisation des humains s'est faite sur un modèle très majoritairement patriarcal. Or, de même qu'ils ont pris le contrôle des villages puis des cités, les hommes ont pris celui des religions, reléguant la femme à un rôle secondaire, voire une absence de rôle, sinon au sein du foyer, et sous la tutelle du mari. Les justifications théologiques sont venues plus tard. Elles ont souvent été apportées par les textes religieux affirmant que la femme est d'abord tentatrice et qu'il faut en protéger les hommes – en la couvrant, en la cachant, en la punissant si elle faute. Pour justifier le fait qu'elle ne peut pas accomplir les gestes rituels, ils ont mis en avant son impureté au moment des règles : « Lorsqu'une femme a un écoulement de sang et que du sang s'écoule de son corps, elle restera pendant sept jours dans la souillure de ses règles. Qui la touchera sera impur jusqu'au soir. Toute couche sur laquelle elle s'étendra ainsi souillée sera impure. Quiconque touchera son lit devra nettoyer ses vêtements, se laver à l'eau, et il sera impur jusqu'au soir », dit le Lévitique (5, 19-29), l'un des cinq livres de la Torah. Comment pourrait-elle alors mener la prière ?

MD – Il y a pourtant trois femmes rabbins en France aujourd'hui. Comment cela est-il perçu par le Consistoire ?

FL – Très mal, et d'ailleurs le mouvement juif libéral, auquel appartiennent ces femmes, n'est pas membre du Consistoire. Cela dit, à l'échelle mondiale, elles ne sont pas une incongruité : il y a un millier de femmes rabbins aux États-Unis, appartenant toutes au judaïsme libéral.

MD – Effectuent-elles la prière du matin des juifs orthodoxes qui commence par : « Je te remercie Dieu de ne pas m'avoir fait femme » ?

FL – Certainement pas, c'est une prière parmi d'autres, ce n'est pas un commandement ! Mais elle exprime la situation inférieure de la femme dans le judaïsme ultra-orthodoxe, où elle doit porter une perruque pour cacher ses cheveux, une robe longue et des manches longues pour cacher son corps. D'ailleurs, dans ce courant, seuls les hommes ont le droit d'étudier la théologie. Ce n'est heureusement pas le cas chez la majorité des juifs.

MD – La situation de la femme est-elle la même dans le monde musulman ?

FL – Sur le point très précis de la situation de la femme, le Coran est d'une modernité étonnante pour son époque. Évidemment, la femme est écartée de toute fonction religieuse, et là aussi c'est à cause de ses règles : « C'est un mal », dit le Coran (2, 222). Pendant cette période, elle est dispensée de jeûne, au même titre que les voyageurs et les malades, mais contrairement à ce qui est dit dans le Lévitique, son impureté n'est pas « contagieuse ». Un verset coranique est très explicite pour ce qui est du statut de la femme : « Les croyants et les croyantes s'accordent des protections mutuelles. Ils commandent le bien et interdisent le mal. Ils accomplissent la prière, ils acquittent l'aumône, ils obéissent à Allah et à Son prophète » (9, 71). Et le Coran ne dit rien du voile :

dans les sept occurrences où le *hijab* est cité, il est un rideau et il est compris au sens spirituel : sauf dans une seule occurrence, concernant les femmes du prophète, où il est un rideau matériel. Le Livre saint de l'islam intime la pudeur, tant aux hommes qu'aux femmes, sans rentrer dans les détails de ce que cette pudeur implique. Mais aujourd'hui encore, au nom des traditions religieuses ultérieures, les hadiths, dits sur lesquels se fonde en grande partie la *charia*, la loi coranique, on lapide les femmes adultères (un châtiment qui n'existe pas dans le Coran), on autorise, voire on encourage l'homme à battre son épouse, on prohibe la mixité parce que la femme est dangereuse ! Les théologiens musulmans affirment qu'un verset coranique autorise l'homme à battre sa femme : « Quant à celles dont vous craignez la désobéissance, exhortez-les, éloignez-vous de leurs lits, et battez-les » (4, 34). La journaliste soudanaise Lubna Ahmad al-Hussein, qui avait elle-même été condamnée à quarante coups de fouet pour avoir porté un pantalon (ce qui allait contre la loi islamique dans son pays), a publié un livre, *Suis-je maudite ?* (2011), où elle démonte ce verset. Elle explique qu'il existe au moins trois significations au mot *daraba*, les théologiens n'en ayant retenu qu'une seule : « battre ». Or, dit-elle, en arabe, ce mot peut aussi signifier « s'éloigner » ou encore... « faire l'amour » ! Mais de cela, la tradition ne veut pas entendre parler. Elle a définitivement admis, comme parole divine, le fait qu'un homme est habilité à battre sa femme parce qu'il lui est supérieur.

Dans la plupart des religions, la femme a, *de facto*, un statut inférieur : elle n'a pas les mêmes droits que les hommes. Évidemment, plutôt que le mot « inférieure », qui est stigmatisant, on utilise celui de

« différente ». Mais cela, on l'a vu, n'est pas toujours imputable aux textes eux-mêmes. L'exemple le plus frappant me paraît être celui des Évangiles : Jésus était entouré de femmes, certaines étaient des prostituées, elles étaient pourtant les plus proches de lui et elles lui sont restées fidèles jusqu'à sa mort, à l'inverse de ses disciples hommes. Or, on voit les Églises catholique et orthodoxes interdire à la femme l'accès à la prêtrise, sous prétexte que les douze apôtres, eux, étaient des hommes. Ce n'est pas le cas chez les protestants. D'une part parce que le protestantisme est plus proche du texte évangélique qu'il a voulu nettoyer des scories ajoutées par des siècles de tradition. D'autre part parce qu'il a accompagné l'entrée de l'Occident dans la modernité et qu'il est par essence plus démocratique que les autres Églises chrétiennes. Les Églises protestantes se sont pour la plupart affranchies du tabou de la femme : celle-ci peut être pasteur, au même titre qu'un homme, voire évêque chez les luthériens qui ont conservé une hiérarchie cléricale. D'autres traditions religieuses font également exception, je pense en particulier aux traditions chamaniques dans lesquelles hommes et femmes peuvent endosser la fonction de chamane.

MD – Nous avons l'impression en Occident que les traditions orientales – l'hindouisme, le bouddhisme, les religions chinoises – sont moins misogynes que les monothéismes : est-ce exact ?

FL – Pas du tout ! Il existe dans la tradition hindoue ce que l'on appelle les *Lois de Manu*, un code législatif rédigé entre le IIe siècle avant notre ère et le IIe siècle de notre ère, fondé sur des textes sacrés, et qui est resté en vigueur en Inde jusqu'à l'indépendance, en 1947. Il reste tacitement appliqué aujourd'hui. Ces lois régissent le statut des castes, mais aussi celui de la femme. Et elles sont impitoyables : « Une petite fille, une jeune femme, une femme avancée en âge ne doivent jamais rien faire suivant leur propre volonté, même dans leur maison », spécifient-elles (V, 147-148), la femme restant dépendante de son père, puis de son mari, puis de ses fils, et inférieure à eux. Elle n'a pas non plus droit à l'initiation religieuse : son initiation est le mariage. Et pour espérer la moksha, la libération du cycle du samsara, elle doit attendre... de renaître en homme. La raison en est évidente : la femme est entachée d'une souillure originelle qui se réveille chaque mois, quand elle a ses règles. On connaît par ailleurs le drame des *satis*, les épouses qui s'immolent vivantes sur le bûcher de leur mari quand il meurt, gage pour elles d'immortalité. Ce rituel atroce ne figure pas dans les *Lois de Manu*, mais cette tradition reste fortement soutenue par les nationalistes hindous.

Le bouddhisme n'en est pas là, mais l'égalité entre hommes et femmes n'y est pas non plus concevable ! Selon la tradition narrée dans le *Cullavagga*, le Bouddha accepta de fonder un ordre de moniales, les *bhiksunis*, après que sa tante l'eut supplié de le faire, mais il posa ses conditions : le moine le plus jeune conserverait toujours la préséance sur la plus ancienne des nonnes, « même si elle est centenaire », et aucune nonne ne pourrait jamais admonester un moine, alors que l'inverse était autorisé. C'est toujours le cas aujourd'hui. De la même manière que dans la tradition hindoue et même chinoise (puisqu'on retrouve cette affirmation dans le *Livre des rites* de Confucius), le *Saddharma Pundarika Sutra*, un très ancien texte bouddhiste, rappelle que « dans sa famille, la fille doit obéissance à son père ; dans sa belle-famille, elle doit obéissance à son époux ; à la mort de son époux, la mère doit obéissance à son fils ». Ce même sutra affirme qu'une femme, aussi méritante soit-elle, ne peut accéder à l'Éveil : il lui faut au préalable renaître en homme. Cette règle reste en vigueur dans le Theravada, l'école bouddhiste dominante en Asie du Sud et du Sud-Est (Sri Lanka, Thaïlande, Cambodge, Laos...).

MD – Puisque les hommes affirment – au moins pour les monothéismes – qu'il s'agit de la parole de Dieu, je suppose qu'il y a peu de chances que ces traditions évoluent...

FL – Je pense au contraire qu'à terme elles n'auront guère d'autre choix que d'évoluer, sur la question de la femme notamment. Pour ce qui est du catholicisme par exemple, un sondage récent montre que 80 % des catholiques pratiquants en France ne verraient aucune objection à l'ordination des femmes. L'Église anglicane d'Angleterre a opéré assez récemment cette révolution : c'est en 1994 que la première femme prêtre, Katherine Rumens, a été ordonnée ; l'événement a fait couler beaucoup d'encre. Si vous allez aujourd'hui en Angleterre, les femmes prêtres sont la norme ! Les révolutions dans le monde arabe nous ont montré des femmes dans les rues, manifestant comme les hommes, à leur côté, signifiant ainsi que leur rôle ne se limiterait plus au foyer : elles aussi ont le droit de gérer la cité. Dans le monde entier, aujourd'hui, le décalage est colossal entre la base des fidèles et les institutions religieuses.

MD – Pourquoi les religions ont-elles un problème avec la sexualité et le plaisir ?

FL – Heureusement pas toutes ! Dans les traditions juive et chrétienne, essentiellement catholique, il est convenu que l'acte sexuel a une seule finalité : la procréation. C'est seulement dans le but d'engendrer que la sexualité est tolérée. Pourtant, la sexualité est magnifiée dans la Bible, je vous citerai là le Cantique des cantiques, une ode à l'amour, un poème torride où il est question d'un ventre féminin qui « se tord de désir », de seins comparés à des « grappes de raisins », de « cris de bonheur » qui retentiront dans la chambre. « Tous les écrits sont saints, mais le Chir hachirim (le Cantique des cantiques) est le Saint des saints », a affirmé rabbi Aquiba à ses pairs quand il fut question de l'éliminer de la Septante, la version grecque de la Bible ! Le Cantique a même été classé parmi les livres de sagesse. La sexualité est également reconnue dans l'islam avec sa part de jouissance : « Vos épouses sont pour vous un champ de labour. Allez à votre champ comme vous voulez et quand vous voulez », dit le Coran (2, 223). Dans le monde musulman, des traités entiers ont été consacrés à une « théologie de l'amour », par exemple l'*Épître sur le désir amoureux* d'Avicenne, au XIe siècle de notre ère. Et puis vous connaissez évidemment le *Kama Sutra* hindou, retranscrit au IIIe siècle de notre ère par le brahmane Vatsyayana à partir d'anciens textes sacrés qui étaient transmis oralement ! Je ne reviendrai pas non plus sur le taoïsme dont les enseignements reposent sur la fusion du yin et du yang, du féminin et du masculin, comme gage d'accès à l'immortalité. Quant au bouddhisme, il prône la chasteté pour les moines, l'extrême modération pour les laïcs, mais le plaisir n'est pas condamné. Pour répondre donc à votre question, non, toutes les religions n'ont pas de problème avec le plaisir... à la condition qu'il soit contrôlé, en tout cas en ce qui concerne le plaisir féminin, cette grande intrigue pour l'homme.

MD – Que voulez-vous dire ?

FL – Je pense qu'une des raisons de la misogynie de l'homme et de la mise en coupe de la femme, c'est aussi la jalousie à l'égard de la jouissance féminine parce qu'elle est infinie, alors que celle de l'homme est finie. Il y a une sorte d'abîme de la jouissance sexuelle de la femme qui fait peur à l'homme et le contrarie.

MD – Le christianisme est la seule religion monothéiste qui impose à ses clercs la chasteté et le célibat. Pourquoi ? Parce que Jésus était célibataire et sans enfant ?

FL – La chasteté est prônée comme un idéal de perfection, elle est réservée à ceux que l'on peut appeler les « athlètes de la vie spirituelle » : les moines dans le bouddhisme et dans le christianisme orthodoxe et oriental, les prêtres aussi dans le catholicisme. Cela dit, la règle du célibat des prêtres a tardé à être imposée dans l'Église : pendant des siècles, il était normal qu'ils soient mariés, aient une famille, et cette tradition a perduré dans la plupart des Églises catholiques d'Orient. Ce sont les évêques qui, les premiers, ont été concernés par le célibat : ils étaient amenés à se déplacer en permanence, il leur était impossible d'avoir en même temps la charge d'une communauté de fidèles et celle d'une famille. Il y a également eu des dérives financières, un enrichissement de certains prêtres qui puisaient dans les caisses de l'Église pour (bien) nourrir leur famille. Le célibat des clercs a été décrété par le IVe concile de Latran, en 1123. Le célibat, mais pas la chasteté qui, elle, n'a vraiment été imposée qu'au XVIe siècle avec le concile de Trente, pour répondre à la critique protestante des mœurs dissolues du clergé. À cette époque, même les papes avaient des maîtresses officielles ! Le mouvement catholique de la Contre-Réforme a compris la nécessité de réformer les mœurs du clergé pour éviter le naufrage de l'Église, mais il n'a pas voulu non plus suivre les protestants dans la voie du mariage des clercs. Je pense d'ailleurs que le refus encore actuel de l'Église catholique d'accorder la possibilité, à côté du célibat, d'ordonner des hommes mariés tient surtout à ce souci de ne pas se « protestantiser ».

MD – Les actes de pédophilie de certains membres du clergé doivent certainement exister depuis très longtemps. Or ils ne sont mis au jour que depuis quelques années. Pensez-vous que c'est l'obligation de chasteté qui mène à ces crimes sexuels ?

FL – On voit bien que le vœu de chasteté est très difficile à respecter pour beaucoup d'hommes. Les prêtres ou les religieux qui sont en contact quotidien avec des enfants et des adolescents peuvent être tentés de franchir le pas. La majorité ne le font jamais et il serait erroné d'établir un lien de causalité immédiate entre chasteté et pédophilie. Mais cela n'enlève pas le fait qu'ils sont plusieurs milliers à avoir franchi cette ligne rouge et on peut légitimement se demander s'ils l'auraient fait en ayant une vie sexuelle normale. Je pense surtout à ceux qui ont eu des relations avec des adolescents, ce qui constitue la grande majorité des faits dénoncés. Car, concernant les enfants, il s'agit me semble-t-il d'une pathologie qui s'exprime dans n'importe quel état de vie et concerne autant les célibataires que les hommes mariés. En fait, la vraie cause du scandale de la pédophilie dans l'Église, ce n'est pas tant la question du célibat que celle de la hiérarchie catholique qui a dissimulé pendant des décennies les agissements de ses membres pour protéger l'institution d'un scandale. Par là, elle a encouragé les prédateurs pédophiles à continuer leurs actes dévoyés et des dizaines de milliers d'enfants auraient pu être épargnés si l'Église avait eu une autre politique. Elle a fait un virage à cent quatre-vingts degrés en 2000, lorsque les affaires ont commencé à éclater aux États-Unis et qu'on ne pouvait plus acheter le silence des victimes. Mais pour en revenir à la question de la chasteté, si la pédophilie concerne une toute petite minorité de clercs, beaucoup d'autres ont des maîtresses cachées, les « femmes de prêtres » qui, elles aussi, commencent à s'exprimer pour dénoncer l'hypocrisie imposée par l'institution. Je connais un certain nombre de prêtres qui ont renoncé à leur vie dans l'Église pour fonder une famille. D'autres ne parviennent pas à renoncer à leur vocation, ils veulent continuer leur sacerdoce. La sagesse serait que l'Église revienne à une double possibilité, qui est reconnue par les catholiques d'Orient : un prêtre peut être célibataire et un homme marié peut être ordonné, même s'il ne sera jamais évêque.

MD – Et si Dieu était une femme ?

FL – L'éphémère pape Jean-Paul Ier avait dit au début de son pontificat que Dieu pourrait très bien être représenté comme une femme puisqu'il n'a pas de sexe ! Il s'était également exprimé en faveur de la contraception. Il est mort de manière non élucidée quelques semaines plus tard !

Connaissez-vous cette histoire juive ? Au paradis, Dieu a d'abord créé Ève et non pas Adam. Or Ève s'ennuie. Elle demande alors à Dieu des compagnons. Dieu crée les animaux. Ève reste insatisfaite et demande à Dieu un compagnon qui lui ressemble, avec qui elle pourrait être davantage complice. Dieu crée Adam, mais pose une seule condition à Ève : qu'elle ne révèle jamais à l'homme qu'elle a été créée avant lui afin de ne pas froisser sa susceptibilité. Et Dieu de conclure : « Que cela reste un secret entre nous... entre femmes ! »

11

Quand Dieu parle au cœur

MARIE DRUCKER – Après ce terrible réquisitoire, on a envie d'entendre l'avocat de la défense : Dieu a-t-il suscité autre chose que de la violence, de la domination, de la misogynie, de l'intolérance et de l'obscurantisme ?

FRÉDÉRIC LENOIR – Un honnête homme du Moyen Âge ne trouverait sans doute rien à redire à l'Inquisition ou aux croisades. Les valeurs de paix, de tolérance, de respect de soi et de l'autre, de recherche de la vérité sans a priori se sont progressivement imposées à nous depuis quelques siècles, et c'est à l'aune de ces valeurs modernes – que je revendique pleinement – que nous portons un regard sur le passé et sur le présent des religions. Or il est manifeste qu'à côté des nombreuses dérives que nous avons évoquées, les monothéismes ont aussi joué un rôle déterminant dans la genèse et le développement de ces valeurs qui nous sont aujourd'hui les plus chères. Comme nous en parlions avec Nietzsche et Weber à propos du christianisme, l'Occident moderne ne serait pas devenu ce qu'il est sans le Dieu de la Bible et le message évangélique. Et le monde musulman, avant de connaître un déclin et une plongée dans l'obscurantisme, a connu les Lumières de la raison et favorisé l'essor des sciences. Pour reprendre l'heureuse formule de Régis Debray : « l'islam a connu sa Renaissance avant son Moyen Âge ». Aux IXe et Xe siècles, alors que l'Empire carolingien prenait son essor, l'Occident chrétien ne possédait encore aucune université et sa plus grande bibliothèque ne devait comporter guère plus de deux mille ouvrages, presque tous consacrée a la théologie chrétienne. Au même moment, dans l'Andalousie musulmane, on étudiait l'astronomie, la médecine ou la philosophie grecque dans l'une des dix-sept universités de la Péninsule hispanique et la grande bibliothèque de Cordoue comptait quelque trois cent mille ouvrages, dont tous les textes connus à l'époque des philosophes de l'Antiquité.

Ceux qui affirment que l'islam n'a produit que de l'obscurantisme sont des ignorants. Et on peut dire la même chose du judaïsme et du christianisme : le meilleur côtoie le pire. Les plus hautes cimes de l'intelligence côtoient les raisonnements théologiques les plus pervers pour justifier l'élimination des dissidents, les témoignages d'amour bouleversants côtoient les marques d'intolérance les plus obscures. L'histoire des monothéismes montre une formidable ambivalence. Ils ont tout à la fois étouffé la raison critique et favorisé son essor, écrasé et élevé l'être humain, oppressé et libéré la femme, favorisé la fraternité et engendré le rejet de l'autre, apporté une éthique universelle et justifié le meurtre de celui qui dérange. On peut donc écrire un livre entier bourré d'exemples sur la perversion de Dieu et des religions, mais aussi un ouvrage tout aussi important sur ce que la foi en Dieu a produit de bon et de constructif pour l'humanité.

MD – Sans compter le patrimoine architectural et artistique ! Quand on pense à des ouvrages comme la cathédrale de Chartres, le Mont-Saint-Michel ou la grande mosquée de Cordoue...

FL – Et les innombrables chefs-d'œuvre musicaux ou picturaux inspirés par la foi : de la *Messe en ut mineur* de Mozart à l'*Annonciation* de Fra Angelico, en passant par la *Passion selon saint Jean* de Bach et la *Cène* de Léonard de Vinci, pour ne parler que du patrimoine chrétien. Mais de même que la foi a produit des œuvres artistiques qui continuent de nous bouleverser, elle a aussi inspiré une vie bonne, heureuse, généreuse à des millions de croyants à travers les âges. Des hommes et des femmes dont l'histoire n'a pas retenu le nom, de toutes conditions sociales, mais dont la foi en Dieu a été un soutien et un guide pour vivre dans la dignité et dans le respect d'autrui. Car, comme le rappelait Pascal, « c'est le cœur qui sent Dieu, non la raison ». C'est d'abord dans leur cœur que les croyants rencontrent Dieu et leur foi n'est pas tant le fruit d'un raisonnement intellectuel que le sentiment d'un don reçu, d'une proximité affective avec celui qu'ils perçoivent comme leur créateur.

MD – En fait, il y aurait autant de manières d'envisager Dieu que de croyants !

FL – Sans doute. En tout cas, chaque croyant a une relation particulière à Dieu, qui vient d'une relation personnelle qu'il entretient avec lui. Un athée pourra penser que cette relation est une illusion, mais pour le croyant qui a une vie de prière régulière, elle est souvent aussi réelle et « soutenante » que la relation qu'il entretient avec ses plus proches : ses enfants, ses parents, son conjoint.

MD – Qu'est-ce que la prière ? Est-ce parler à « quelqu'un » qui serait à l'intérieur de soi ?

FL – Il y a plusieurs dimensions de la prière. Il y a l'acte d'adoration, dans lequel le croyant affirme sa radicale dépendance à l'égard du créateur, se prosterne devant lui, le reconnaît comme son Dieu lui remet toute sa vie. C'est par exemple le fondement de la prière musulmane : au moins cinq fois par jour, le fidèle adore Dieu en se prosternant. Mais on retrouve aussi cette forme de prière dans la vie monastique chrétienne. Et puis il y a bien sûr toutes les prières orales à travers lesquelles le fidèle parle à Dieu, le remercie, le supplie, l'implore. Si certaines sont codifiées, comme le « Notre Père », la plupart sont des formules spontanées qui sortent du cœur du croyant : formules de louange, d'action de grâce, de demande.

MD – Et comment le croyant entend-il Dieu lui répondre ?

FL – Le croyant n'attend pas forcément une réponse à sa prière, mais ceux qui prient font parfois l'expérience d'une présence au plus intime de leur être. Je définirais d'ailleurs la prière dans sa dimension la plus profonde comme un « cœur à cœur » avec Dieu, ou avec le Christ pour les chrétiens. C'est une mise en présence, une écoute intérieure, un recueillement aimant dans lequel Dieu peut répondre par une grâce en touchant le cœur du fidèle. La réponse de Dieu peut aussi venir à travers un événement signifiant de la vie, une rencontre, une inspiration soudaine. Là où le non-croyant ne verra pas de sens particulier à tel événement, le croyant pourra y lire le signe du destin ou d'une grâce divine.

MD – Le croyant voit donc la trace de Dieu dans les événements de sa vie ?

FL – Cela dépend des croyants. Certains pensent que Dieu n'intervient pas du tout dans leur vie et dans la vie des humains en général. Cela ne les empêche pas de prier, mais leur prière est plus une adoration ou un remerciement. D'autres pensent au contraire que Dieu écoute et prend soin des fidèles qui le prient. Jésus dans les Évangiles dit très explicitement : « priez et on vous écoutera, demandez et vous recevrez ». Il invite donc ses disciples à le prier ou à prier Dieu qu'il appelle son « Père » et il promet une réponse à toute prière. Cela dit, il ne prétend pas que Dieu va exaucer toute demande. Si on demande de réussir à un examen ou de gagner au loto, il y a peu de chances, si Dieu existe, qu'il se préoccupe de telles questions ! Les demandes dont parle Jésus sont des demandes liées à des choses plus essentielles : la guérison intérieure, l'approfondissement de la foi, l'accroissement de l'amour.

MD – Vous disiez pourtant dans notre échange sur le christianisme que Jésus entendait montrer que Dieu n'était pas là pour s'occuper des affaires du monde !

FL – Jésus est venu révéler que le royaume de Dieu n'est pas de ce monde. En ce sens, il montre que Dieu ne fait pas de politique et qu'il laisse les hommes construire librement leur histoire, pour le meilleur et pour le pire. Mais ce n'est pas parce qu'ils n'intervient pas dans les affaires temporelles des hommes qu'il n'intervient pas dans leur cœur. Dieu peut donc avoir une action invisible dans l'humanité, à travers la grâce qu'il donne aux hommes. Et c'est tout le sens, à mon avis, des psaumes juifs, des *Gathas* du zoroastrisme, du Coran ou des paroles de Jésus : Dieu entend toutes les prières et répond à sa manière aux plus justes d'entre elles. C'est ce qu'on appelle la « providence divine ». Mais encore une fois, cette providence n'est pas là pour aider le croyant à gagner plus d'argent ou de pouvoir. Elle n'est pas là nécessairement non plus pour le protéger de tout malheur corporel et le sauver de la mort, comme le montre l'histoire. C'est ce qui a tant frappé Voltaire lors de la catastrophe de Lisbonne survenue le 1er novembre 1755. Entre cinquante et cent mille personnes avaient péri lors d'un terrible tremblement de terre, alors qu'elles étaient notamment réunies dans des églises pour célébrer la grande fête de la Toussaint et que ces édifices s'étaient écroulés. Cela a confirmé Voltaire dans son sentiment que Dieu ne s'occupe pas des affaires des hommes et qu'il laisse périr le juste comme l'injuste, le fidèle comme l'infidèle, selon les lois de la nature qu'il a fixées une fois pour toutes au moment de la création. On retrouve cette idée dans la phrase de Jésus : « Il (Dieu) fait lever son soleil sur les méchants comme sur les bons » (Matthieu 5, 45). Autrement dit, Dieu n'intervient pas sur cette terre pour punir les méchants et récompenser les bons, la justice divine s'appliquera dans l'au-delà, après la mort. Ici-bas, Dieu gratifie ses fidèles par sa grâce intérieure : il peut augmenter en eux la foi, l'espérance, l'amour, la joie, la compréhension. Et il n'est pas impossible de penser que le fait d'avoir plus de foi puisse produire des « miracles », des guérisons inexpliquées, des secours perçus comme providentiels, etc. Mais c'est par le biais de la foi du fidèle que Dieu semble intervenir, pas directement. Comme le disait Jésus à propos de ses « miracles », c'est la foi qui produit la guérison ou l'événement perçu comme surnaturel, pas une intervention divine immédiate qui transgresserait les lois de la nature.

MD – Finalement, les hommes et les femmes qui aiment Dieu dans le silence de leur cœur, dans un dialogue intérieur, ne se rapprochent-ils pas des croyants des premières expériences personnelles du divin ?

FL – Lors de cette étonnante période axiale du milieu du Ier millénaire avant notre ère, les hommes, on l'a vu, ont en effet ressenti ce besoin d'entrer directement en contact avec Dieu ou le divin. Contre la logique cléricale ritualiste et sacrificielle, ils ont souhaité vivre une expérience personnelle de l'Absolu. Ce rapprochement de l'humain et du divin n'a dès lors cessé de s'approfondir et de se démocratiser. Mais, vous avez raison, rien n'a vraiment changé pour l'essentiel. Un mouvement s'est mis en marche au sein de toutes les traditions religieuses qui n'a cessé de s'amplifier. Les logiques institutionnelles et ritualistes n'ont pas disparu, elles ont été concurrencées par des courants spirituels qui proposent aux fidèles la possibilité d'un contact et d'une expérience directs avec Dieu ou le divin. Ce qu'on pourrait appeler au sens très large la « mystique ». C'est par exemple le mouvement hassidique dans le judaïsme, le soufisme dans l'islam, le monachisme chrétien dans ses multiples formes : bénédictin, cistercien, chartreux, franciscain, dominicain, ignacien, carme, etc.

MD – La mystique est donc une forme de spiritualité

transculturelle fondée sur l'expérience directe de Dieu, sur une rencontre forte avec lui ?

FL – Tout à fait. Le phénomène mystique, et l'expérience spirituelle tout simplement, s'inscrit le plus souvent dans un cadre culturel religieux donné, tout en le dépassant. Autrement dit, les individus qui vivent une expérience de l'Absolu en parlent avec les catégories mentales et les mots de leur culture – chrétienne si elle est chrétienne, hindoue si elle est hindoue, musulmane si elle est musulmane, etc. –, mais les expériences qu'ils font dépassent les cultures et se ressemblent étrangement. Comme cette expérience est indicible, le langage poétique devient le meilleur moyen d'en rendre compte et l'on constate que les poètes mystiques de toutes les religions disent des choses très similaires et se rejoignent sur l'essentiel, malgré les différences dogmatiques insurmontables de leur religion respective.

Je me souviens ainsi avoir fait se rencontrer il y a une dizaine d'années un père abbé bénédictin et un lama tibétain. Ils ont passé une semaine entière ensemble, d'abord dans le monastère de Kergonan en Bretagne, ensuite dans le centre tibétain de Dhagpo Kagyu Ling en Dordogne. Ils ont commencé par aborder les questions théologiques générales concernant le bouddhisme et le catholicisme : là, ils n'étaient d'accord sur rien ! L'idée d'un Dieu personnel créateur qui se révèle en parlant aux prophètes semblait impensable au lama, tout comme l'idée d'une religion sans Dieu semblait incongrue au moine chrétien. Et puis au bout de trois jours ils se sont mis à parler de leur expérience spirituelle personnelle, et là, ils étaient d'accord sur presque tout ! L'un et l'autre parlaient de la nécessité du silence intérieur, du guide spirituel, de la confiance et de la foi, des obstacles et de l'ego à dépasser, de l'importance de la concentration et de l'attention, de l'amour et de la compassion qui sont au point de départ et au terme de toute quête spirituelle. Certes, les mots variaient parfois, les techniques aussi, mais on sentait qu'ils parlaient au fond le même langage : le langage de ceux qui vivent une expérience spirituelle concrète, qui font l'ascension de la même montagne, quels que soient le nom qu'on lui donne et le sentier emprunté.

Il y a une source divine à laquelle s'abreuvent les mystiques de toutes les religions et où ils communient dans le silence et la joie de la contemplation, et puis loin derrière, à une distance suffisante pour être sûrs de ne pas être aspergés par l'eau, il y a des théologiens, des gardiens du temple et des docteurs de ces mêmes religions qui se disputent indéfiniment pour savoir si l'eau de cette source est gazeuse ou plate, calcaire ou pas, minérale ou non...

MD – Mais de quelle nature est l'expérience fondamentale faite par ces mystiques, puisque certains croient en un Dieu personnel et d'autres non ?

FL – Il y a des points communs très étonnants qui révèlent selon moi une certaine universalité de l'esprit humain. Tous ceux qui creusent loin en eux-mêmes dans une recherche sincère de vérité finissent par découvrir la même chose ou des choses très similaires. Par exemple, la plupart des mystiques découvrent à un moment donné ce qu'ils appellent d'une manière ou d'une autre leur propre « néant ». Ils découvrent qu'ils ne sont rien, que leur « moi » n'est rien. Et alors qu'ils pourraient être totalement désespérés par cette découverte, ils sont au contraire portés par un amour qui les envahit et les met dans la joie, une joie indicible. Car ils ressentent alors un amour universel qui transcende toute appartenance, tout sentiment identitaire, toute dualité, toute convention. Le mystique musulman Rumi, au XIIe siècle, l'exprime fort bien dans son livre *Diwân* : « Que faut-il faire, ô musulmans ? Car je ne me reconnais pas moi-même. Je ne suis pas chrétien, pas juif, pas parsi, pas musulman. Je ne suis ni de l'est ni de l'ouest, ni du sol ferme ni de la mer. Je ne suis pas de l'atelier de la nature, ni des cieux tournants. Je ne suis pas de la terre, ni de l'eau, ni de l'air, ni du feu. Je ne suis pas de la cité divine, pas de la poussière, pas de l'être, ni de l'essence. Je ne suis pas de ce monde et pas de l'autre, pas du paradis ni de l'enfer. Je ne suis pas d'Adam ni d'Ève, ni de l'Éden ou des anges de l'Éden. Mon lieu est le sans-lieu, ma trace ce qui ne laisse pas de trace ; ce n'est ni le corps ni l'âme, car j'appartiens à l'âme du Bien-Aimé. J'ai abdiqué la dualité, j'ai vu que les deux mondes sont un. C'est Un que je cherche, Un que je contemple, Un que j'appelle. Il est le premier, il est le dernier, le plus extérieur et le plus intérieur. Je ne sais rien d'autre que "Ô lui" et "Ô lui qui est". Je suis enivré par la coupe de l'amour, les mondes ont disparu de mes regards ; je n'ai d'autres affaires que le banquet de l'esprit et la beuverie sauvage. »

MD – Ce sont des propos d'une liberté absolue ! On imagine la réaction des autorités religieuses... Les mystiques ne finissent-ils pas tous en prison ou au bûcher ?

FL – C'est arrivé à nombre d'entre eux, en effet, mais beaucoup arrivent à échapper aux foudres des gardiens du dogme par leur popularité. Et puis, d'une certaine manière, ils servent aussi les religions en leur redonnant une âme, en les vivifiant. Il y a donc une tension permanente dans l'histoire des monothéismes entre institution et expérience mystique, les deux se nourrissant mutuellement : les mystiques s'appuient le plus souvent sur une culture religieuse qu'ils ont reçue par leur éducation, et même s'ils prennent parfois une grande liberté avec leur religion d'origine, ils ne la remettent jamais totalement en cause et contribuent ainsi à la renouveler. François d'Assise en est un bon exemple : il mène une vie de radicale pauvreté et chasteté qui est en contradiction flagrante avec les mœurs corrompues du clergé de son temps ; il s'identifie au Christ au point de recevoir les stigmates de sa passion (les marques de la crucifixion aux pieds et aux mains), ce qui n'était jamais arrivé en mille deux cents ans de christianisme ; il parle aux animaux et fait l'éloge de la nature alors que l'Église ne s'intéresse qu'à l'être humain, etc. Il inquiète donc fortement l'institution catholique. Mais en 1210, alors qu'il se rend à Rome convoqué par Innocent III, le pape fait un rêve dans lequel il voit l'Église, symbolisée par la basilique Saint-Jean de Latran, s'écrouler et la figure de ce petit moine italien la sauver au dernier moment. Il soutiendra donc la réforme franciscaine qui aura peut-être en effet sauvé l'Église d'un effondrement sous le poids de sa puissance temporelle et financière. D'autres ont eu davantage de problèmes car il y a des lignes jaunes à ne pas franchir. L'une d'elles, dans les monothéismes, consiste à toujours parfaitement maintenir la distinction entre Dieu et ses créatures. Or la plupart des mystiques vivent une expérience de « non-dualité » dans laquelle ils s'identifient à Dieu. Au xe siècle, le mystique musulman Al-Hallaj a été crucifié et démembré pour avoir osé affirmer : « Je suis la Vérité », ce qui revenait à s'identifier à Dieu. De manière moins tragique, le grand théologien dominicain et mystique du XIIIe-XIVe siècle Maître Eckart a été condamné par l'Église, notamment pour avoir prêché une divinisation de l'homme par la grâce qui semblait abolir la distance entre la créature et le Créateur. Accusé de professer une doctrine immanente panthéiste, il n'a jamais été canonisé alors que c'est un des témoins et des penseurs chrétiens des plus importants.

En fait, les mystiques juifs, chrétiens et musulmans peuvent avoir, du fait de leur expérience, une conception de Dieu qui s'approche de celle que nous avons évoquée à propos de l'Inde. Le divin est à la fois perçu comme personnel et impersonnel, comme transcendant et immanent, dans lequel on peut s'identifier ou se fondre. Bien des oppositions théologiques qui semblent irréductibles au niveau du discours rationnel se dissolvent dans un langage plus poétique et symbolique qui vient d'une expérience du cœur.

12

Quel avenir pour Dieu ?

MARIE DRUCKER – De la préhistoire à nos jours, nous avons effectué un long parcours historique, découvert les nombreux visages des dieux, de Dieu et du divin... Avant de vous interroger sur l'avenir de Dieu, j'aimerais que l'on fasse un état des lieux de la foi aujourd'hui.

FRÉDÉRIC LENOIR – En restant prudent – car si les enquêtes statistiques sont assez nombreuses pour les pays occidentaux, elles manquent souvent ailleurs –, on peut dégager quelques grands indicateurs sur le plan mondial. Actuellement, la croyance en Dieu est partagée par environ les deux tiers de la population mondiale, en incluant l'hindouisme, dont nous avons vu qu'il était difficile de le classer dans la catégorie du monothéisme ou dans celle du polythéisme. Le dernier tiers se partage entre des religions sans Dieu (religions chinoises en plein renouveau, bouddhisme, animisme, chamanisme...) et une petite partie de la population se déclarant sans aucune appartenance religieuse (moins de 10 % de la population mondiale, principalement en Chine et dans les pays européens déchristianisés).

MD – Je suis frappée du décalage entre ces chiffres montrant que l'écrasante majorité des populations croient en Dieu et la perception que nous avons de la foi en Occident, où les religions ne cessent de décliner au profit de l'athéisme.

FL – Je dirais surtout : de la perception que nous avons en France. Car environ 90 % des Américains et les deux tiers des Européens croient encore en Dieu, même si la foi diminue progressivement depuis plusieurs décennies. Selon une enquête très fiable menée depuis trente ans en Europe, par une équipe de sociologues européens (publiée dans l'ouvrage *Les Valeurs des Européens*), on assiste en France à une très forte érosion du catholicisme, puisque 70 % des Français se disaient catholiques en 1981 et qu'ils n'étaient plus que 42 % en 2008. Dans ce même laps de temps, les autres religions (judaïsme, protestantisme, islam, orthodoxie, bouddhisme) ont progressé de 3 % à 8 %, mais cela tient essentiellement à l'essor démographique de l'islam en France. Parallèlement, les personnes se déclarant « sans religion » ou « athées » sont passées de 27 % à 50 %. Si on considère la croyance en Dieu proprement dite, elle résiste beaucoup mieux que l'appartenance religieuse et reste stable à 52 %. Mais la proportion des athées convaincus augmente fortement au détriment des agnostiques, qui font aujourd'hui jeu égal (24 % chacun). La France est, avec la Tchéquie, le pays qui compte aujourd'hui le plus fort taux d'athées en Europe. *Le Parisien* a même publié au printemps 2011 un sondage qui fait état de 36 % d'athées, mais il faut rester prudent car la formulation du sondage peut inclure une partie des agnostiques. Notre pays a donc une position tout à fait exceptionnelle en Europe et dans le monde. Mais ce qui se passe actuellement en France est peut-être significatif de ce qui arrivera dans la plupart des autres pays développés.

MD – En prolongeant les tendances actuelles, peut-on se faire une idée de l'état de la foi dans le monde en 2050 ?

FL – Les projections faites par les démographes sur le plan de l'appartenance religieuse montrent que les chrétiens (toutes confessions confondues) passeront de deux milliards aujourd'hui à trois milliards en 2050 ; les musulmans d'un milliard deux cent mille à deux milliards deux cent mille ; les hindous de huit cents millions à un milliard deux cent mille ; les bouddhistes de trois cent cinquante millions à quatre cent trente millions et les juifs de quatorze millions à dix-sept millions. Ces chiffres évidemment ne tiennent pas compte des évolutions internes profondes que peuvent connaître les mentalités dans les décennies à venir, ni de catastrophes ou bouleversements exceptionnels. Si l'on tient compte de l'évolution des mentalités, je pense que la tendance est indiquée par ce qui se passe en Europe : une sécularisation croissante, sans effondrement de la foi en Dieu. Autrement dit, les religions auront de moins en moins d'emprise sur les sociétés et les individus seront de plus en plus nombreux à se déclarer sans religion, ce qui ne signifiera pas pour autant la fin de la foi en Dieu. C'est un profond mouvement de fond que les sociologues des religions appellent « croire sans appartenir ». Cette tendance est liée à l'évolution des modes de vie et des mentalités dans les pays développés. Les individus s'émancipent progressivement des institutions religieuses, ils pratiquent de moins en moins, mais continuent pour beaucoup à avoir une foi en Dieu ou une spiritualité personnelle.

MD – C'est le fameux « bricolage » dont parlent les sociologues : chacun se construit sa propre religion ou spiritualité.

FL – On voit en effet de plus en plus de juifs ou de chrétiens pratiquer la méditation bouddhiste, croire en la réincarnation ou s'intéresser au chamanisme, par exemple. C'est le double effet des trois grands vecteurs de la modernité : individualisation, esprit critique, mondialisation. Dans le monde moderne, les individus s'émancipent du groupe et choisissent librement leur foi et leurs valeurs ; ils développent leur esprit critique et se détachent de plus en plus du dogme et des autorités religieuses ; ils ont accès à travers la mondialisation et le métissage culturel à une offre religieuse considérable dans laquelle ils peuvent piocher librement en fonction de leurs besoins. Il s'agit là, comme l'a fort bien souligné Marcel Gauchet, d'une « révolution copernicienne de la conscience religieuse » : ce n'est plus le groupe qui transmet et impose la religion à l'individu, c'est ce dernier qui exerce son libre choix en fonction de son désir d'épanouissement personnel. C'est cela, lié à l'urbanisation rapide et au déracinement qui en découle, qui dissout la religion collective en Europe. Et ce processus n'est en rien entamé par les renouveaux identitaires et fondamentalistes que nous observons ici ou là. Si ces derniers sont spectaculaires et font la une des médias, ils restent très minoritaires en Europe : pour cent femmes voilées de plus par an, vous devez avoir cent mille personnes qui abandonnent toute pratique cultuelle. Mais ces renouveaux religieux manifestent surtout un durcissement du dernier carré de croyants très pratiquants. C'est la tendance dominante du catholicisme sous la houlette de Benoît XVI, comme de la plupart des juifs, des protestants et des musulmans pratiquants d'Europe, qui se radicalisent parce qu'ils se sentent de plus en plus isolés et minoritaires. L'islam en France est aussi, de manière générale, plus identitaire que les autres religions en vertu du fait que la grande majorité des musulmans français se perçoivent comme une minorité stigmatisée, ce qui ne fait que renforcer les réflexes communautaristes. Cela montre d'ailleurs en passant l'absurdité des assauts répétés contre l'islam qui ne font que crisper ses franges les plus rigoristes. Mais on constate ici comme ailleurs que plus les jeunes musulmans sont cultivés et intégrés, plus ils prennent de liberté avec le groupe et le dogme pour vivre une spiritualité personnelle. Et ce qui s'observe en Europe s'observe aussi dans d'autres pays du monde non chrétien, où des minorités hindoues ou musulmanes européanisées prennent de plus en plus de distance avec la religion.

Si donc le modèle européen de valeurs, d'éducation et de mode de vie devait continuer à se propager dans le monde entier, il pourrait bien se passer à long terme – je dirais plutôt un siècle que trente ans – ce qui se passe actuellement en France : la religion tiendra une place de moins en moins importante, et environ un habitant sur deux restera croyant, tout en bricolant sa croyance. En revanche, si nous sommes amenés à traverser de graves crises écologiques, économiques, sociales, il est possible que ce mouvement se ralentisse ou s'inverse, car la religion traditionnelle peut apparaître comme une solution face à des peurs ou des dangers très puissants.

MD – Et vous, quel est votre pronostic ?

FL – Personnellement, je pense que la tendance moderne qui travaille l'humanité *via* l'Occident depuis la Renaissance va encore connaître de sérieux heurts et retours en arrière, mais que dans le long terme, c'est elle qui l'emportera. Je crois que tout homme aspire profondément à la liberté individuelle : celle de choisir son mode de vie, sa religion, ses valeurs, son métier, son lieu de résidence, son conjoint, sa sexualité, etc. Cette tendance me semble irréversible et ne cesse de se mondialiser comme le montre le printemps démocratique des pays arabes. Je pense que, sauf énorme catastrophe, plus aucune dictature ne pourra tenir sur terre et plus aucune religion ne sera en mesure d'imposer sa loi aux individus. Les principaux vecteurs de la modernité vont progressivement, avec des retours en arrière ponctuels, gagner le monde entier. Dans un tel contexte, la religion a du souci à se faire, mais pas nécessairement Dieu et encore moins la spiritualité, c'est-à-dire la recherche du sens de la vie. Car une fois libérés des contraintes de survie et des institutions normatives et dogmatiques, les individus continueront à s'interroger sur l'énigme de l'existence et à se poser les questions essentielles : qu'est-ce qu'une vie réussie ? Comment faire face à la question de la souffrance et de la mort ? Quelles sont les valeurs qui fondent une vie ? Comment être heureux ? Comment vivre en harmonie et en paix avec soi-même et avec les autres ? Le grand défi du XXIe siècle sera donc de repenser l'articulation de l'individu et du groupe, de l'intérêt personnel et du bien commun, et cela dans un monde globalisé. Car si l'individu s'est émancipé du poids du groupe et de la tradition, il mesure de plus en plus les limites et les dangers de l'individualisme et du chacun pour soi.

MD – Et Dieu ? Si l'appartenance religieuse vient à s'effondrer, si le monde connaît comme la France une crise des vocations, il est difficile d'imaginer que cela n'aura pas de conséquence sur la foi en Dieu.

FL – La foi en Dieu régresse doucement, mais sûrement. Je suis quand même étonné de sa forte résistance par rapport à la vitesse et à l'ampleur de la crise de la pratique religieuse. Les deux éléments qui résistent le mieux sont les cérémonies funéraires religieuses et la foi en Dieu, qui restent à peu près stables en Europe au cours des trente dernières années selon l'enquête déjà citée sur les valeurs des Européens. Ce qui montre que face à la question de l'énigme de la vie et face à la mort, la religion apporte encore des réponses ou des gestes essentiels pour une majorité d'individus qui ont par ailleurs pris des distances avec les Églises. Mais pour en revenir à Dieu, on doit se poser la question : en quel Dieu croient les gens ? Car derrière le mot « Dieu » se cachent de nombreuses conceptions du divin qui n'ont parfois plus rien à voir avec la définition dogmatique.

MD – Dans *Les Métamorphoses de Dieu*, vous expliquez en effet que les représentations de Dieu sont en pleine mutation en Occident.

FL – Je pointe trois grandes métamorphoses du visage de Dieu dans la modernité qui ne cessent de s'accentuer : on passe d'un Dieu personnel à un divin impersonnel ; de la figure d'un Dieu masculin qui donne la loi à la figure d'un divin aux qualités féminines d'amour et de protection ; d'un Dieu extérieur qui vit aux cieux à un divin que l'on rencontre en soi. L'érosion de la croyance en un Dieu personnel au profit d'un divin impersonnel est l'un des constats de l'étude des *Valeurs des Européens*. En France en 1981, sur 52 % de personnes se déclarant croyantes, chacune de ces deux conceptions de Dieu regroupait 26 % des croyants. En 2008, la croyance en un Dieu personnel a diminué à 20 % tandis que celle en un Dieu impersonnel est passée à 31 %. Le phénomène s'observe partout en Europe, dans des proportions moindres pour les pays d'Europe latine encore très attachés au catholicisme. Et un sondage du *Monde des religions* publié en 2007 est très inquiétant pour l'Église de France : sur les 52 % de catholiques qui affirment croire en Dieu (les autres sont des catholiques culturels non croyants), ils ne sont que 18 % à croire en « un Dieu avec qui je peux être en relation personnelle ».

MD – Cela signifie que les trois quarts des catholiques français qui s'affirment croyants ne croient plus au Dieu de la Bible ?

FL – Je dirais soit qu'ils ne croient plus au Dieu révélé de la Bible et qu'ils sont plutôt déistes à la manière de Voltaire ou de nombreux francs-maçons, soit qu'ils croient encore au Dieu révélé de la Bible mais qu'ils n'adhèrent plus aux images réductrices qu'on a faites de lui, dans la Bible elle-même et dans la prédication chrétienne au fil des siècles. Un Dieu qui se met en colère, punit, se lamente, a pitié, regrette ses actions, etc., n'est plus crédible parce que trop humain. Au fond, on assiste à un fort rejet d'une conception anthropomorphique du divin. On a tellement « qualifié » Dieu qu'il en a perdu tout mystère et toute crédibilité, comme Nietzsche l'avait annoncé.

Ce rejet s'accompagne parfois aussi d'une critique du Dieu à qui l'on s'adresse comme à une personne et que l'on convoque pour régler ses problèmes, qui s'immisce dans les affaires des hommes, qui parle par la bouche des prophètes. On croit davantage à un être supérieur, sorte de grand architecte de l'univers, une intelligence organisatrice, ou bien à une énergie ou à une force vitale, tel le *mana* des sociétés premières, ce fluide subtil qui parcourt l'univers.

Il est certain, comme vous le souligniez, que les spiritualités orientales ont pu jouer un rôle dans ce basculement vers un divin impersonnel. Elles ont offert un langage, des concepts (la vacuité bouddhiste, le Brahman hindou, le Tao chinois) qui permettent à des juifs et des chrétiens mal à l'aise avec une conception trop personnalisée de Dieu de ne pas renoncer pour autant à l'idée du divin ou à l'expérience qu'ils en font. Mais il existe aussi au sein des traditions monothéistes des courants alternatifs vers lesquels se tournent nombre de croyants contemporains et qui offrent une vision de Dieu moins personnalisée : la kabbale juive et certains courants de la mystique chrétienne et musulmane. On qualifie ces courants d'« apophatiques » du mot « apophase » qui signifie « négation » : on ne peut dire de Dieu que ce qu'il n'est pas. Avant de se développer dans la kabbale, l'apophase est déjà au cœur du judaïsme de Philon d'Alexandrie. Elle est aussi au fondement même du néoplatonisme de l'Antiquité tardive (Plotin, Proclus, Damascius). Elle se développe dans le christianisme antique avec les traités du Pseudo-Denys l'Aréopagite (auteur anonyme du Ve siècle) et des auteurs orientaux comme Jean Chrysostome, Syméon le Nouveau Théologien ou Grégoire Palamas, avant de toucher le catholicisme à la fin du Moyen Âge à travers les mystiques rhéno-flamands (Eckart, Suso, Tauler, les béguines). Le monde musulman n'est pas épargné, avec un puissant courant mystique dit « théosophique » dont Ibn Arabi au XIIe-XIIIe siècle est la figure de proue. Ces courants mystiques apophatiques insistent sur le caractère insondable et ineffable de Dieu et ils entendent guider les pas de l'initié vers le mystère divin, mystère qu'il ne pourra saisir par la raison, mais contempler et aimer par l'intelligence du cœur. Ils se méfient donc de la théologie positive qui a trop tendance à rationaliser Dieu et à le réduire à une personnalité. Ces courants mystiques ont le vent en poupe en Occident pour cette raison précise. Je suis convaincu que si autant de personnes s'intéressent à Maître Eckart, à la kabbale, aux mystiques orthodoxes ou soufies, c'est principalement pour trouver un discours différent sur Dieu de celui de la théologie classique : un discours qui jaillit davantage de l'expérience et du cœur que du raisonnement à partir de la Révélation.

MD – Pour reprendre les deux autres métamorphoses que vous évoquiez, Dieu est désormais perçu comme plus féminin et plus intérieur...

FL – Tout cela va ensemble. À partir du moment où Dieu est davantage perçu comme un divin impersonnel que comme une personne extérieure à soi, on ne prie plus un être extérieur qui vit aux cieux, mais on accueille le divin au plus intime de soi. Cela rejoint évidemment la méditation orientale. Mais sans aller jusque-là, même les croyants qui prient un Dieu personnel veulent faire une expérience intime de Dieu. Ils n'entendent plus se contenter d'une religion extérieure ou d'une fidèle observance du rituel, ils veulent éprouver le sacré, ressentir Dieu dans leur cœur. L'intériorité devient le lieu de rencontre entre l'humain et le divin. Nous avons vu que ce mouvement a commencé dans l'Antiquité et qu'il n'a jamais cessé d'exister à travers les courants spirituels et mystiques, mais on a assisté au XXe siècle à une accélération et à une démocratisation de cette tendance. C'est par exemple la naissance du mouvement pentecôtiste aux États-Unis : les fameux *born again* affirment vivre une « seconde naissance » dans l'Esprit Saint. Ce mouvement protestant va toucher le catholicisme dans les années 1970 à travers le Renouveau charismatique qui va se répandre comme une traînée de poudre dans l'Église, multipliant les groupes de prière où les croyants apprennent à « goûter » Dieu, à ressentir sa présence. Quant aux juifs, aux catholiques et aux musulmans qui sont davantage portés vers un divin plus apophatique, ils s'initient souvent à la méditation zen, très sobre, qui permet de faire un silence intérieur et d'accueillir le divin au plus profond de soi.

Je voudrais vous citer le mystique alsacien du XIVe siècle Jean Tauler qui résume bien cette expérience : « Voici que l'homme se recueille et pénètre en ce temple (son moi intérieur) dans lequel, en toute vérité, il trouve Dieu habitant et opérant. L'homme arrive à faire l'expérience de Dieu, non pas à la façon des sens et de la raison, ou bien comme quelque chose qu'on entend ou qu'on lit [...] mais il le goûte, et il en jouit comme de quelque chose qui jaillit du "fond" de l'âme ainsi que de sa propre source. » On ne parle plus à Dieu au ciel, mais on le découvre comme une source au plus intime de soi.

MD – Si Dieu n'est pas au ciel, où peut-il être ?

FL – Il est certain que si l'homme antique ou médiéval pouvait encore imaginer que Dieu se cache quelque part au ciel, cela n'est plus possible depuis plusieurs siècles grâce à l'essor de l'astrophysique. Et, vous avez raison de le souligner, c'est certainement une des raisons de cette quête plus intérieure de Dieu. Pourtant Jésus disait déjà : « Le royaume de Dieu est à l'intérieur de vous » (Luc 17,21). Or la plupart des traductions de la Bible rendent ce verset par « au milieu de vous » ou « parmi vous », ce qui en détourne le sens véritable. Comme si on ne voulait pas entendre parler d'un royaume intérieur et qu'on lui préférait un Royaume vécu en communauté. Le texte grec dit pourtant *entos*, « au-dedans », « à l'intérieur » et non pas « au milieu » ou « parmi ». La *Traduction œcuménique de la Bible* (*TOB*) va même jusqu'à préciser en note : « On traduit parfois : "en vous", mais cette traduction a l'inconvénient de faire du règne de Dieu une réalité seulement intérieure et privée. » Ce petit exemple est très significatif de la manière dont une idéologie ecclésiale détourne parfois le sens des textes. L'Église préfère la communauté à l'intériorité car elle n'a aucune prise sur cette dernière. Or la parole de Jésus est extrêmement puissante : c'est d'abord en soi que l'homme doit chercher le royaume de Dieu et non dans les cieux ou dans la communauté humaine. Dieu n'est pas lointain, il est au plus intime de chacun.

MD – Une autre façon de rejeter ce Dieu trop lointain n'est-elle pas de faire appel à ses saints, à ses anges, à la Vierge Marie ?

FL – Vous avez tout à fait raison. La religiosité populaire a aussi besoin d'« êtres intermédiaires » plus sensibles, plus représentables, plus proches de l'humain que ce Dieu abstrait. D'où déjà dans les religions antiques l'apparition des anges, ces purs esprits, et l'idée développée dans le zoroastrisme et reprise dans le judaïsme et le christianisme qu'ils veillent sur les humains. On assiste en effet à un étonnant retour à la croyance aux anges chez des personnes qui ne sont plus nécessairement engagées dans une religion. Et si ce ne sont pas les anges, ce sont des « guides », c'est-à-dire des âmes de défunts qui veilleraient sur chacun d'entre nous. Si on lie ce phénomène au renouveau puissant du culte marial et du culte des saints depuis le XIXe siècle dans le catholicisme, on peut en effet constater un désir de reliance envers des êtres plus compréhensibles et sensibles que Dieu lui-même. Et d'une certaine manière cela permet aussi de ne pas trop ramener Dieu à une conception anthropocentrique : on respecte son mystère et son caractère insondable, et on s'adresse à ses anges ou à ses saints pour entrer dans une relation plus affective avec des forces supérieures et avoir un secours dans nos soucis terrestres. Je dirais donc qu'il y a deux manières de se rapprocher d'un Dieu perçu comme trop lointain : le découvrir en soi ou s'adresser à ses subordonnés !

MD – Le développement du culte de la Vierge Marie dans le catholicisme n'est-il pas lié aussi au rejet d'une trop grande masculinisation de Dieu ? On a besoin d'un père, mais aussi d'une mère.

FL – Nous sommes en train de sortir doucement du patriarcat en Occident et ce n'est pas un hasard si l'on assiste dès lors à une transformation des représentations divines. Non pas qu'on passerait de la représentation d'un dieu barbu à une déesse aux cheveux longs, mais les croyants, qui savent bien que Dieu n'a pas de sexe, lui attribuent des qualités plus féminines qu'auparavant. Le Dieu de l'Ancien Testament est typiquement masculin : c'est le Dieu des armées, il est tout-puissant et dominateur. Le Dieu de Jésus est un Dieu d'amour et de miséricorde au visage plus féminin, mais il reste quand même un Dieu juge qui peut faire peur. Or le visage actuel du Dieu auquel adhèrent la majorité des croyants est un Dieu totalement aimant, enveloppant, bon, protecteur, bref... maternel ! À la figure traditionnelle du « Dieu père » qui donne la loi et qui punit les pécheurs, on a progressivement préféré la figure d'un « Dieu mère » qui donne l'amour et réconforte. Et, comme vous le rappeliez, le culte de la Vierge Marie est venu depuis longtemps déjà compenser dans le catholicisme cet excès de masculin.

MD – Pour conclure, pensez-vous que, pour la première fois dans l'histoire des hommes, l'athéisme pourrait devenir la norme en France, en Europe et dans le monde au cours des siècles à venir ? Ou bien la figure de Dieu restera-t-elle toujours aussi présente, ne serait-ce que parce qu'elle répond à des besoins humains profonds ?

FL – Si l'on regarde les chiffres de près, on s'aperçoit que ce sont surtout les générations âgées qui croient en Dieu. Dans l'enquête sur les valeurs des Européens, sur les 52 % des Français qui croient en Dieu, la proportion la plus forte se rencontre chez les personnes de plus de soixante ans (69 %) et la plus faible chez les moins de trente ans (41 %). Ce qui laisse penser que la conséquence du déclin de la religion et de la transmission a pour effet une diminution de la foi chez les jeunes générations. Les conversions d'adultes auxquelles on assiste aussi ne compensent pas, loin s'en faut, cette perte. Nous l'évoquions plus haut : l'athéisme des jeunes n'est pas un athéisme militant, philosophique, comme celui de leurs aînés. Ils ne s'opposent pas au Dieu de leur enfance, puisqu'ils n'ont pas reçu d'éducation religieuse, c'est plutôt un athéisme pratique. Ils ne croient pas en Dieu parce qu'ils ne le voient pas et qu'ils jugent le plus souvent cette hypothèse inutile. Il est donc possible que le terme ultime de la modernité, comme Nietzsche le pensait, soit bel et bien la mort de Dieu.

Mais on peut aussi imaginer mille autres scénarios. Celui d'un enchaînement de catastrophes qui conduiraient les hommes à revenir à Dieu comme à un secours ou une espérance dans un monde angoissé. Celui aussi d'une progressive métamorphose des visages de Dieu dans le sens d'un divin plus impersonnel qui serait une sorte de synthèse de l'Orient et de l'Occident et qui rallierait de plus en plus de personnes en quête de spiritualité vécue, pour donner un sens à leur vie.

Tant que l'existence humaine restera une énigme, tant que l'expérience de l'amour et de la beauté nous fera toucher au sacré, tant que la mort nous interpellera, il y a de fortes chances que Dieu, quel que soit le nom qu'on lui donne, reste pour beaucoup une réponse crédible, un absolu désirable ou une force transformante.

Épilogue

par Frédéric Lenoir

À la fin de nos entretiens, Marie Drucker m'a posé la question : « Et vous, croyez-vous en Dieu ? » Elle connaissait la réponse, puisque nous en avions parlé à titre amical, mais elle faisait son travail de journaliste et se mettait à la place du lecteur, qui ne manquerait sans doute pas de se poser cette question.

J'ai beaucoup hésité à lui répondre dans le cadre de ce livre, car nous changions de registre. Pour reprendre les catégories de Kant, Marie a interrogé tout au long de cet ouvrage mon *savoir* sur la question de Dieu, en tant que philosophe, sociologue et historien. Elle me demandait maintenant mon *opinion* personnelle, ou mon intime *conviction.* J'ai déjà répondu brièvement à cette question dans d'autres livres ou interviews, car je ne fais pas partie de ces universitaires qui estiment qu'on doive taire en public ses convictions personnelles pour conserver auprès de ses lecteurs une image de neutralité scientifique absolue, qui reste assez fictive. Mais je craignais la confusion des genres au sein d'un même livre.

J'ai finalement pris le parti de répondre à cette question intime. Je crois en effet qu'il est légitime pour le lecteur de s'interroger sur ma propre conviction, en un sujet où, au-delà des connaissances objectives, il est impossible de n'avoir aucun point de vue personnel. Toutefois, pour bien marquer la rupture, j'ai souhaité le faire non pas dans le prolongement de nos entretiens, mais sous la forme d'un épilogue au ton différent. Et en développant aussi quelques réflexions, car c'est une question à laquelle il me serait impossible de répondre en un mot « oui » ou « non » sans soulever bien des malentendus.

De quel dieu parle-t-on ?

Lorsque l'on posa la même question à Albert Einstein : « Croyez-vous en Dieu ? », il répondit : « Dites-moi ce que vous entendez par Dieu, et je vous dirai si j'y crois ! » Son interlocuteur resta coi. Et pour cause ! Lorsque l'on dit « Dieu », de quel dieu parle-t-on ? Du dieu auquel les Aztèques sacrifiaient des enfants ? Du dieu personnel de la Bible qui parle à Moïse et aux prophètes ? Du dieu de Spinoza qui s'identifie à la Nature ? Du grand horloger de Voltaire ? Du divin impersonnel des stoïciens ou des sages de l'Asie ? Même au sein d'une tradition comme le christianisme, les visages de Dieu sont innombrables : quoi de commun entre le Père aimant de Jésus et le Père fouettard du XIXe siècle ? Entre le Dieu de mère Teresa et celui du Grand Inquisiteur ?

On l'aura compris à la lecture de ce livre : Dieu est un concept saturé. On a trop parlé de Dieu. Trop parlé au nom de Dieu. Et de manière totalement contradictoire. À tel point que le mot lui-même a presque perdu toute signification. Hannah Arendt l'a fort bien écrit dans *La Vie de l'esprit* (1978) : « Ce n'est certainement pas que Dieu est mort, car on en sait aussi peu là-dessus que sur son existence [...], mais c'est sans doute que la façon dont on a pensé Dieu pendant des siècles ne convainc plus personne : si quelque chose est mort, ce ne peut être que la manière traditionnelle de le penser. »

Lorsqu'on me demande si je crois en Dieu, il m'est donc impossible de répondre sans retourner la question à mon interlocuteur : « Qu'entendez-vous par "Dieu" ? » En fait, l'idée que je me suis faite de Dieu n'a pas cessé d'évoluer au cours de ma vie, ainsi que l'adhésion ou le rejet que j'ai pu avoir de ces diverses représentations. Comme le rappelle justement Marie dans l'avant-propos de ce livre, la question de notre rapport à Dieu n'est pas figée. Certaines personnes ne se la posent jamais et d'autres sont installées dans les mêmes certitudes depuis toujours. Mais pour nombre d'entre nous, surtout européens, cette question est mouvante et notre foi est bien souvent « clignotante », pour reprendre l'expression d'Edgar Morin : elle évolue, se métamorphose, s'éteint ou s'allume en fonction des moments de notre vie, des épreuves ou des bonheurs que nous traversons. La meilleure réponse que je puisse donc faire, la plus honnête et la plus rigoureuse, c'est de vous faire partager brièvement les grandes lignes de l'évolution de mon rapport à la question de Dieu. Pardonnez le caractère autobiographique des lignes qui vont suivre, mais il n'y a pas d'autre moyen de répondre en profondeur et en vérité.

La beauté du monde et de l'esprit

Je suis né dans un milieu catholique pratiquant. Mes parents se sont toujours investis dans des causes humanitaires et soutenaient des personnes en difficulté. J'ai donc été témoin, enfant, d'un christianisme social, libéral et engagé, qui m'a certainement marqué plus en profondeur que la foi elle-même. Je n'ai en effet pas souvenir d'avoir vu mes parents prier en dehors de l'église ou d'avoir entendu parler de Dieu à la maison. La messe dominicale m'a toujours ennuyé et j'y ai vite échappé pour aller faire du vélo avec mes copains. Mes parents ont voulu que leurs enfants soient élevés à la campagne et j'ai ainsi eu la chance, après deux années passées à Madagascar, de grandir dans un petit village de l'Essonne au milieu des champs et des bois. J'ai toujours été ému par la beauté du monde. Enfant, j'ai vécu de nombreux moments de « sidération » face à un beau paysage, ou même un simple détail, comme un reflet de lumière dans un sous-bois ou un chat qui ronronne de plaisir au soleil. Adolescent, mes premiers chocs amoureux n'ont pas été la rencontre d'une femme, mais une joie indicible qui a soudain ouvert mon cœur lors d'une marche en montagne ou face à l'océan. Je remerciais alors l'univers pour cette beauté offerte. Ce sont certainement mes premières expériences du sacré.

Vers l'âge de quatorze ans, j'ai découvert les ouvrages de Platon dans la bibliothèque de mon père et la lecture avide des dialogues socratiques m'a ouvert l'esprit aux grandes questions de la philosophie : Qu'est-ce que la vérité ? Comment mener une vie bonne et heureuse ? Quelles sont les valeurs essentielles sur lesquelles fonder son existence ? Qu'est-ce qu'être vraiment libre ? Quel est le sens de la vie humaine ? Les questions de l'âme, de l'éthique et du salut se sont donc posées à moi d'abord en termes philosophiques et non explicitement religieux. Les religions, à vrai dire, ne m'intéressaient guère et je voyais surtout, en jeune lecteur passionné de Nietzsche, leur dimension institutionnelle, politique et moralisatrice, que je réprouvais. Pourtant, deux déclics allaient se produire, vers l'âge de seize ans, qui allaient m'ouvrir aux spiritualités asiatiques.

Un jour, tandis que je me promenais rue de Médicis, à Paris, je vois en devanture d'une librairie la couverture d'un livre illustrée par le visage d'une femme indienne. Ne pouvant détacher mes yeux de cette photo, j'entre dans la boutique et achète le livre en question. Il s'agissait d'un ouvrage de Denise Desjardins intitulé *De naissance en naissance*, et la photo était celle d'une mystique indienne nommée Ma Ananda Mayi.

L'auteur – femme du célèbre journaliste Arnaud Desjardins, qui avait été le premier Occidental à filmer les grands sages de l'Inde contemporaine – racontait sa rencontre avec cette Indienne considérée dans son pays comme la plus grande mystique du XXe siècle. Saisi par l'étonnante beauté et sérénité qui émanait des photos de Ma Ananda Mayi, je me procurai les ouvrages d'Arnaud Desjardins sur la spiritualité de l'Inde et commençai à pratiquer le yoga. Un peu plus tard, un ami parfaitement athée me passa un petit livre intitulé : *Le Troisième Œil*, d'un certain Lobsang Rampa. Il se présentait comme le récit autobiographique d'un lama tibétain qui raconte son initiation à la vie monastique à Lhassa, juste avant l'invasion chinoise. Même si je devais apprendre bien plus tard qu'il s'agissait en fait d'une fiction écrite par un Anglais, ce récit saisissant me donna envie de découvrir le bouddhisme tibétain.

Entre seize et vingt ans, j'ai lu tout ce qui me tombait sous la main et abordait les questions existentielles sous les angles les plus divers : les romans de Dostoïevski ou de Hermann Hesse, les ouvrages de Carl Gustav Jung, les poèmes des mystiques musulmans, comme Roumi ou Attar, les textes fondamentaux du taoïsme et du confucianisme, les philosophes stoïciens et néoplatoniciens. Je rencontrai aussi un kabbaliste roumain auprès de qui je suivis des cours sur la symbolique des lettres hébraïques, et j'appris en Inde la pratique de la méditation auprès de lamas tibétains. J'avais bien tenté de lire la Bible et le Coran, mais je refermai vite ces ouvrages qui ne parlaient pas à mon âme, à l'inverse des *Ennéades* de Plotin, du *Tao Te King* de Lao Tseu ou de *La Conférence des oiseaux* d'Attar.

Le Christ et l'Évangile

Je réalisai aussi que la seule grande religion que je n'avais jamais vraiment étudiée était celle de mon enfance : le christianisme. J'opposais une sorte de résistance liée aux mauvais souvenirs du catéchisme infantile et des messes lénifiantes. Mon meilleur ami qui était, lui, très croyant m'invita à me rendre seul pour quelques jours dans un monastère cistercien en Bretagne. Le défi me plaisait et, tout juste âgé de dix-neuf ans, je me suis rendu à l'abbaye de Boquen. J'ai été touché par la beauté austère du lieu et le rayonnement des sœurs contemplatives qui y vivaient.

Mais cela ne suffisait pas à me rendre perméable à la foi chrétienne. L'idée d'un Dieu personnel révélé m'était totalement étrangère, même si j'adhérais volontiers à celle d'un Absolu impersonnel, à la manière des Chinois, des bouddhistes, ou des sagesses philosophiques comme celles d'Épictète, de Plotin, de Spinoza.

C'est alors que je lus pour la première fois le Nouveau Testament. Je l'ai ouvert au hasard et suis tombé sur l'Évangile selon saint Jean. Après quelques minutes, j'ai ressenti une présence brûlante d'amour : ce Jésus, dont l'Évangile parlait, je le sentais présent au plus intime de moi. Bouleversé, je poursuivis tant bien que mal ma lecture, comme pour me raccrocher à quelque chose de tangible. Au chapitre 4, lorsque la Samaritaine demande à Jésus où il faut adorer Dieu, celui-ci répond que ce n'est ni sur cette montagne de Samarie, ni au temple de Jérusalem qu'il faut adorer Dieu, mais en esprit et en vérité, car Dieu est esprit. J'ai alors ressenti une joie immense. Jésus étanchait la soif de mon cœur et répondait à la question qui, à l'instar de cette femme samaritaine, hantait alors mon intelligence : quelle est la religion vraie ? Son message pour moi était limpide : toutes les religions peuvent conduire à la vérité, mais aucune ne détient toute la vérité, et le véritable temple est l'esprit de l'homme. C'est là, et là seulement, dans sa recherche de la vérité, qu'il peut rencontrer Dieu.

Depuis que j'ai vécu cette expérience mystique, il y a trente ans, la foi dans le Christ ne m'a jamais quitté. Je le considère comme mon maître intérieur, le véritable guide de ma vie spirituelle. Je me mets en sa présence à n'importe quel moment de la journée et je continue à me nourrir de sa parole. Cette rencontre m'a ouvert à une autre dimension de la foi : celle d'une vie après la mort. Car si je pouvais être en contact avec l'esprit du Christ, c'est qu'il était vivant et bien fidèle à la dernière parole qu'il prononça au moment de disparaître définitivement aux yeux de ses disciples, avant son Ascension : « Et moi je suis avec vous tous les jours jusqu'à la fin du monde » (Matthieu, 28,20). Si Jésus était vivant deux mille ans après sa mort, nous devrions l'être aussi après la nôtre. La vie sur terre n'est qu'une étape. La mort n'est pas une fin, mais un passage. Telle est aussi ma foi.

Amour de Dieu et du prochain

Dans les années qui ont suivi cette rencontre, je me suis engagé dans la religion chrétienne, car je voulais nourrir cette relation au Christ qui donnait tout son sens à ma vie. J'ai travaillé en Inde dans des léproseries et des mouroirs de mère Teresa, j'ai fait des retraites dans des ermitages, j'ai effectué des séjours en Israël et, tout en poursuivant mes études de philosophie, je me suis engagé dans un monastère pendant trois ans, pensant avoir une vocation à la vie contemplative. Je n'ai jamais été attiré par la prêtrise, mais le désir d'une vie simple, dépourvue de tout artifice, et entièrement consacrée à la vie spirituelle m'attirait en profondeur. J'ai alors pleinement adhéré au catholicisme : sa théologie, ses dogmes, ses rituels. J'ai connu, dans cette vie de pauvreté et de chasteté totale, des grandes joies, mais aussi des moments très douloureux. Car, progressivement, quelque chose s'est grippé dans cet engagement. Je prenais conscience que je n'étais pas fait pour une vie religieuse : j'ai commencé à avoir des phobies (vertige, claustrophobie) et à être sans cesse malade. Mon corps disait « stop » à un mode de vie qui ne me convenait pas. Mais, plus profondément, j'étouffais de plus en plus dans l'Église. Fidèle à la tradition catholique, la plupart des religieux et des hommes d'Église que je rencontrais étaient persuadés de détenir LA vérité. Au-delà des belles paroles d'ouverture, ils considéraient, au fond, les autres confessions chrétiennes comme inférieures au catholicisme et les autres religions, au mieux, comme de pauvres tentatives humaines d'atteindre Dieu, au pire comme des traditions d'inspiration diabolique !

Je décidai alors de ne pas m'engager plus avant dans la vie religieuse et de quitter le monastère. Tout en travaillant dans l'édition, j'ai entamé une thèse de doctorat à l'École des hautes études en sciences sociales sur le bouddhisme et l'Occident. Une occasion pour moi de renouer avec le bouddhisme, de poursuivre mon travail philosophique – et maintenant aussi sociologique et historique – en terrain passionnant et sur lequel très peu de chercheurs travaillaient alors. J'en profitais parallèlement pour approfondir mes connaissances en exégèse biblique et en histoire des religions, car j'avais besoin de faire le tri dans tout ce que j'avais reçu au sein de cet engagement dans le catholicisme. J'ai continué de découvrir au fil des ans combien le magistère et les pratiques de l'Église étaient souvent éloignés des fondements évangéliques. Plus encore, la théologie chrétienne de la Rédemption – le Fils qui réconcilie les hommes avec son Père en versant son sang – m'apparut comme une réintroduction de la pensée sacrificielle antique dont le Christ était venu libérer l'humanité. J'ai donc pris de sérieuses distances avec le dogme chrétien et toute institution religieuse.

Même si je passe pour un hérétique aux yeux de certains, je continue pourtant à me considérer comme chrétien. Car ce que j'ai compris des Évangiles, c'est que la foi ne consiste pas d'abord à réciter le credo et à se rendre au temple ou à l'église, mais à être relié au Christ, à se laisser aimer par lui et à essayer d'aimer son prochain. C'est pourquoi je crois que Jésus n'est pas venu fonder une nouvelle religion (il est d'ailleurs né et mort juif), mais instaurer une spiritualité universelle qui, sans les renier, transcende tous les rituels et tous les dogmes... par l'amour. Pour Jésus, rendre un culte à Dieu, c'est aimer son prochain. Peu importe dès lors qu'on soit juif, samaritain, bouddhiste, païen, etc. Jean confirme cette idée révolutionnaire dans sa première épitre : « Dieu, nul ne l'a jamais vu. Mais si nous nous aimons les uns les autres, Dieu demeure en nous, en nous son amour est accompli. [...] Quiconque aime est né de Dieu et connaît Dieu » (Jean, 1, 4). On la retrouve chez Paul dans le magnifique hymne aux Corinthiens : « J'aurais beau être prophète, avoir toute la science des mystères et toute la connaissance de Dieu, et j'aurais beau avoir la foi jusqu'à transporter les montagnes, s'il me manque l'amour, je ne suis rien » (Cor, 1, 13). Elle est aussi présente dans de nombreux passages des évangiles synoptiques, telle la parabole du Jugement dernier, dans laquelle Jésus montre que le seul critère du salut est celui de l'amour désintéressé du prochain, auquel il s'identifie : « Venez, les bénis de mon Père, recevez en héritage le Royaume préparé pour vous depuis la création du monde. Car j'ai eu faim et vous m'avez donné à manger ; j'ai eu soif et vous m'avez donné à boire ; j'étais un étranger et vous m'avez accueilli ; j'étais nu et vous m'avez habillé ; j'étais malade et vous m'avez visité ; j'étais en prison et vous êtes venu me voir » (Matthieu, 25). Je suis donc chrétien pour ces deux raisons : une expérience personnelle du Christ vivant et un émerveillement constant devant la force des Évangiles, leur hauteur spirituelle, leur humanité, leur universalité.

Dieu personnel et divin impersonnel

Si ma relation à l'Absolu passe essentiellement par le Christ, la question de Dieu reste pour moi ouverte. Je sens dans mon cœur qu'il existe quelque chose qui me dépasse et parfois me bouleverse – un mystère profond de la vie, un autre niveau de réalité que le monde matériel et sensible – mais je ne peux rien dire de ce mystère, sinon qu'il est tissé d'amour et de lumière. Ma propre expérience rejoint ainsi celle de nombreux spirituels de toutes les cultures et de toutes les époques qui s'inscrivent dans le grand courant transversal de la mystique apophatique : du néoplatonisme de l'Antiquité à la mystique théosophique de la Renaissance, en passant par la kabbale juive, la théologie négative chrétienne et le soufisme musulman. Nul ne sait qui est Dieu. Si Dieu existe, il reste par définition un mystère et une énigme pour nous. Je pense que les croyants ne devraient pas chercher à circonscrire, à définir, à objectiver l'ineffable. C'est là le drame des monothéismes : en ne cessant de qualifier Dieu et de dire ce qu'il est et ce qu'il veut, ils ont fini par le « chosifier » et par tomber finalement dans l'idolâtrie qu'ils étaient censé combattre. Si Dieu existe, il échappera toujours à l'entendement humain, et si Jésus a un lien particulier, unique même, avec Dieu, ce qui est au fondement de la foi chrétienne, son identité profonde restera toujours un mystère, d'où les limites aussi de la théologie trinitaire.

J'ai relevé chez Maître Eckart – ce grand mystique et prédicateur dominicain, condamné le 27 mars 1329 par le pape Jean XXII – des propos qui expriment parfaitement ce que je ressens et pense. « Je prie Dieu qu'il me libère de "Dieu" », n'hésite-t-il pas à dire dans son sermon 52. C'est-à-dire de cet « être » sur lequel nous projetons toutes sortes de qualités tirées de notre expérience humaine et que nous qualifions, comme nous qualifions une chose, ce qui conduit à le réifier. Eckart en vient donc à établir une distinction capitale entre « Dieu » (*Gott*) et la « Déité » (*Gottheit*). La Déité, c'est l'essence divine ineffable, l'Un indicible de Plotin, dont tout procède. Dieu, c'est la manifestation de la Déité dans le monde ; c'est la Déité dans son rapport aux créatures ; c'est le Dieu personnel de la révélation ; c'est le Dieu défini comme trinitaire par les Églises chrétiennes. Ce Dieu aux nombreux noms ou visages : Yahvé, Allah, la Trinité, la Trimurti, etc. Le psychologue suisse Carl Gustav Jung, qui m'a beaucoup inspiré depuis l'adolescence, s'est également appuyé sur cette distinction eckartienne pour montrer que si la psychologie ne peut rien dire de la Déité, elle peut appréhender Dieu comme un archétype présent dans la psyché humaine : « "Dieu" n'est jamais, précisément, que la représentation que se fait notre âme de l'Inconnu. Il est une "fonction de l'âme", et "l'âme l'exprime" en tant que créature » (*Les Types psychologiques*, 1921).

Cette distinction fondamentale entre un divin inconnaissable (Déité) et un divin manifesté (Dieu) est au cœur de tous les grands courants de la théologie apophatique. La « Déité » d'Eckart n'est autre que l'« Un » de Plotin, le *houwa* (Lui) des soufis musulmans, l'*Ein Sof* des kabbalistes juifs, la *shunyata* (la vacuité absolue) du bouddhisme ou le *brahman* impersonnel de l'Inde. Transculturelle, la voie apophatique constitue selon moi l'une des conditions de la reconnaissance positive, profonde, du pluralisme religieux et l'une des principales conditions d'un dialogue interreligieux authentique et fécond. Cette distinction permet en effet de relier les grandes formulations de l'Absolu et de dépasser leurs apparentes contradictions. Grâce à elle, on peut comprendre que le divin est à la fois personnel et impersonnel, transcendant et immanent, révélé et indicible. Il peut être considéré comme un « être » en tant qu'il est manifesté dans le monde (Dieu), mais dans son essence ultime il est « au-delà de l'être » (Déité). Les spiritualités orientales comme les sagesses grecques, notamment le néoplatonisme, ou encore Spinoza, parlent surtout de la « Déité », et mettent l'accent sur un divin impersonnel immanent. Les trois monothéismes parlent d'abord de « Dieu » et mettent donc l'accent sur un être personnel transcendant. Pour moi, comme pour Eckart et les tenants de la mystique apophatique, les deux sont vrais. Je peux méditer et faire l'expérience intérieure de la profondeur ineffable de l'esprit, mais aussi parler à Dieu comme à un « père ». Je sais que le divin m'échappe totalement, mais je peux regarder le Christ et me relier à lui comme « image du Dieu invisible » (Paul). Je peux vivre une expérience du sacré de type panthéiste dans la nature, mais aussi allumer un cierge devant une statue de la Vierge Marie ou prier devant le Saint-Sacrement. Je peux me dire chrétien, mais fêter Shabbat avec mes amis juifs et louer Allah avec mes amis musulmans. Ce qui m'est longtemps apparu comme opposé et contradictoire s'est aujourd'hui unifié car je ne me situe plus dans un rapport univoque au divin et que je laisse parler mon cœur autant que ma raison, ma sensibilité autant que mon intuition. Les hindous, qui font preuve par tempérament d'une grande souplesse intellectuelle, ont compris cela depuis longtemps : ils prônent à la fois la voie de la dévotion amoureuse à une divinité personnelle (qui peut prendre mille visages) et la voie de la méditation non duelle d'un divin impersonnel qui englobe tout. La première voie est très populaire car elle est accessible à tous. La seconde est plus élitiste. Et les deux peuvent se combiner.

Des dangers du dogmatisme

Si je crois donc en cette « Déité », en l'« Un », en ce divin ineffable, je me méfie de toute « révélation » divine car, ainsi que je l'ai expliqué dans ce livre, chaque révélation est insérée dans un contexte culturel et politique qui la conditionne en profondeur. Ce qu'on appelle alors « parole de Dieu » est toujours lié à des époques et des lieux précis, à des mentalités et des enjeux de pouvoir particuliers. Et même si le divin se manifeste à travers certains prophètes ou certains textes, ce que je ne nie pas, l'humain devient alors indissociable du divin et il est nécessaire de faire la part des choses. Toute lecture littérale des textes religieux conduit à l'intolérance et à la violence. Le rituel et l'institution doivent être considérés comme des moyens et non comme des fins. Tout dogme et tout discours théologique est relatif, puisque conditionné par la culture, mais aussi par les limites du langage et de la raison. Le fanatisme religieux découle de cette absolutisation des textes, du rituel, de la tradition ou de l'institution, et il peut prendre de nombreuses formes. De nos jours, ce sont ces extrémistes musulmans et ces chrétiens d'extrême droite qui sèment la mort ; ces colons juifs qui bloquent tout processus de paix ; ces prélats catholiques qui protègent les prêtres pédophiles pour sauvegarder l'institution ; ces nationalistes hindous qui massacrent les musulmans, etc. Mais même lorsque le fanatisme religieux prend des visages moins violents, il n'en demeure pas moins un obstacle durable pour la paix et la compréhension entre les hommes. Je pense à ces centaines de millions de croyants de toutes religions, qui sont persuadés de posséder la vérité ultime ; que seul leur texte sacré est authentique et révélé ; que les rituels et les interdits auxquels ils souscrivent sont nécessaires au salut.

C'est pourquoi je crois que le clivage le plus profond n'est pas entre les croyants et les non-croyants, mais entre les tolérants et les intolérants, entre les dogmatiques et les non-dogmatiques. Comme le rappelle mon ami André Comte-Sponville, il y a des athées dogmatiques, comme il existe des croyants dogmatiques. Ceux-ci ont en commun d'ériger leur croyance en savoir et de mépriser ou d'agresser ceux qui ne partagent pas leurs certitudes. À l'inverse, croyants et athées non dogmatiques n'érigent pas leurs intimes convictions en savoir objectif et ont un vrai respect pour ceux qui ne partagent pas leur point de vue. Le philosophe Maurice Merleau-Ponty disait avec une pointe de dépit : « On ne peut pas discuter avec les catholiques, car *ils savent.* » Ce n'est heureusement pas le cas de tous (de nos jours, beaucoup de catholiques sont tolérants et ouverts aux autres) et on peut dire la même chose de nombreux athées, même si leur dogmatisme n'a pas aujourd'hui les mêmes conséquences tragiques que celui des fanatiques religieux. Comme croyant non dogmatique, je peux échanger de manière féconde et vraie avec André Comte-Sponville, parce que c'est un athée non dogmatique. Mais toute discussion est quasiment impossible avec un croyant ou un athée dogmatique, qui préfère le choc des certitudes à la recherche commune de la vérité.

Un des principaux obstacles aux progrès de l'humanité et de la connaissance, ce n'est ni la foi, ni l'absence de foi, comme on l'a longtemps pensé au cours des siècles précédents : c'est la certitude dogmatique, de quelque nature qu'elle soit. Parce qu'elle finit par engendrer – de manière plus ou moins intense ou explicite – le rejet de l'autre, l'intolérance, le fanatisme, l'obscurantisme. Dans un monde interconnecté et soumis à tant de défis décisifs, il m'apparaît dangereux et dérisoire de se quereller avec véhémence sur la religion et la question – à jamais ouverte – de Dieu. Quelles que soient nos croyances, l'important n'est-il pas de cultiver et de promouvoir ces valeurs universelles qui nous unissent et dont dépend l'avenir de toute l'humanité : la justice, la liberté, l'amour ?

Table des matières

Composé par Nord Compo Multimédia
7, rue de Fives, 59650 Villeneuve-d'Ascq

Imprimé en France par

à La Flèche (Sarthe)
en décembre 2012

POCKET – 12, avenue d'Italie – 75627 Paris Cedex 13

N° d'impression : 71345
Dépôt légal : janvier 2013
S22790/01